JN040468

できる ポケット

改訂版

必修アプリ超活用

Microsoft

Teams チームズ

全|事|典

太田浩史＆できるシリーズ編集部

インプレス

本書に掲載されている情報について

- 本書の情報は、すべて2022年12月現在のものです。
- 本書では「Windows 11 Home（バージョン 22H2）」と、「Microsoft Teams（work or school）」および「Microsoft 365」の各アプリがインストールされているパソコンで、インターネットに常時接続されている環境を前提に画面を再現しています。また、Microsoft 365のプランは「Business Standard」を前提に解説しています。

はじめに

　この数年で、離れた場所にいる同僚と一緒に働いたり、お客様とオンライン会議を行ったりすることは、珍しい出来事ではなくなりました。Microsoft Teamsをはじめとしたチャットツールやオンライン会議ツールの利用は、驚くほどのスピードでビジネスシーンに広がり、定着しています。

　このような早い変化のなかで、ツールの使い方に慣れていなかったり、これから使いはじめることに不安を抱いていたりする方も少なからずいるでしょう。本書では、Teamsを利用するための基本機能と操作方法を丁寧に解説しており、そうした不安を解消できる1冊になっています。

　Teamsを便利に使いこなすための近道、それは、まずTeamsを触ってみることです。仲の良い同僚と一緒に、どのような機能があるのか、どのような使い方ができるのかなどを試してみましょう。最初はうまく使いこなせないことがあるかもしれません。または、ほかの同僚がうまく使えていない場面を見かけることもあるでしょう。そうしたときには、お互いに教え合い、フォローし合いましょう。

　Teamsはチームワークをさらに強化してくれるツールです。自分だけがTeamsの機能に詳しくなったとしても、Teamsに本来期待する効果は発揮できません。自分たちの業務ではどのように活用できるかを、同僚やほかのメンバーと話し合うことが大切です。そうしたときに、本書の内容がTeamsを賢く運用するためのヒントになるかもしれません。

　本書をきっかけに、みなさんのTeams活用が、さらに便利で楽しいものになれば幸いです。

2022年12月

太田浩史

本書の読み方

本書では Microsoft Teams について、基本的な機能と活用法を解説しています。デスクトップアプリは Windows 11、モバイルアプリは iPhone（iOS）の画面を例に解説しており、さまざまな場面で Teams を使いこなせるようになります。

対応デバイス

利用できるデバイスを表します。対応していないデバイスはオフに（色が薄く）なっています。

チェックマーク

ワザを「覚えた」ときや「試した」ときにマークを付けます。

手順

手順見出し

おおまかな操作の流れが理解できます。

操作説明

「○○をクリック」など、それぞれの手順での実際の操作です。番号順に操作してください。

解説

操作の前提や意味、操作結果に関して解説しています。

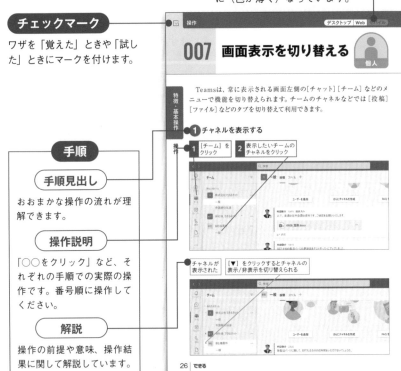

操作 | デスクトップ Web

007 画面表示を切り替える
個人

Teamsは、常に表示される画面左側の［チャット］［チーム］などのメニューで機能を切り替えられます。チームのチャネルなどでは［投稿］［ファイル］などのタブを切り替えて利用できます。

特徴・基本操作

1 チャネルを表示する

操作

1 ［チーム］をクリック
2 表示したいチームのチャネルをクリック

チャネルが表示された
［▼］をクリックするとチャネルの表示/非表示を切り替えられる

ワザの効果

ワザの効果をマークで表します。効果は以下の解説を参照してください。

知識
Teams の利用に役立つ情報を習得できます。

個人
自分の画面や環境のみ変化させます。

組織
自分に加えて、組織のメンバーの環境も変化させます。

ポイント／関連など

操作の注意点や補足情報を解説する「ポイント」や、マウスを使わずに操作できる「ショートカットキー」、似た場面で利用できる「関連」ワザを紹介しています。

目次

第1章	特徴・基本操作		11

第2章	メッセージとチャット		31

第3章　オンライン会議と通話　　89

第7章　機能の拡張 227

第8章　活用アイデア 249

第**1**章

特徴・基本操作

Teamsの特徴や機能を知る

仕事ではビジネスチャットツールの活用が欠かせなくなりました。「Microsoft Teams」は、その代表例です。まずはその特徴をおおまかに把握しましょう。

001 Microsoft Teams とは

知識

　Microsoft Teamsは、チャットを中心に、オンライン会議やファイル共有などの機能を利用できるコラボレーションツールです。メンバーが離れた場所にいたとしても、素早く簡単にコミュニケーションをとることができ、目標に向かって共同で作業を進められます。

リモートワークに必要な機能がすべてそろう

　「リモートワーク」で働く機会が増えたことで、同僚や顧客とのコミュニケーションにおいて、チャットの利用が注目されています。こうした便利なチャットを仕事に取り入れることで、離れた場所で働いていても綿密にコミュニケーションをとりあって仕事を進めることができます。

　これまでにも用いられてきたメールや電話に対し、チャットの最大の違いは、気軽さとスピード感です。伝えたい内容や体裁を整えて作成するメールと比べて、チャットは会話のような短い文章のキャッチボールで進むため、レスポンスが早く、テンポよく議論を進められます。また、相手の予定や状況に気を使ってしまう電話とは違い、お互いの都合がよいときに内容を読んで返信できるため、より気軽に話しかけることができます。

　リモートワークでは会議のスタイルも変わります。参加者が会議室に集まるのではなく、それぞれの場所から参加するオンライン会議が多くなります。オンライン会議では、カメラやマイクといった機器や画面共有などの操作方法に慣れておくことで、会議室での会議と同様に、スムーズに議論を進められるようになります。

　同僚と一緒になって資料を作成するには、ファイルを共有できる必要があります。Teamsにはクラウドにファイルを保存し、共有できるクラウドストレージがあり、複数人でファイルを共同編集できます。このように、Teamsにはリモートワークに必要な機能がすべて備わっています。

オフィスワーク   リモートワーク

会話   →   チャット

電話   →   通話

会議   →   オンライン会議

ファイル   →   クラウドストレージ
共有

特徴・
基本操作

メッセージ
とチャット

オンライン
会議と通話

ファイルの
共有

モバイル
アプリ

チームの
管理

機能の
拡張

活用
アイデア

最初はほかのメンバーと相談しながら使う

　Teamsは豊富な機能を備えており、それによってできることも多いため、すべてを最初から理解して使うのは大変です。また、Teamsを利用するときに大事なのは、一緒に利用する同僚と使い方を相談しておくことです。なぜなら、Teamsが最も力を発揮するのは、日常の業務における同僚とのコミュニケーションだからです。

　コミュニケーションはひとりでは行えず、関わるメンバーそれぞれの認識を合わせておく必要があります。部署やチームで初めてTeamsを利用するときは、どういった使い方をするのか、ルールを共有しておきましょう。加えて、すでに利用しているチームに参加するときは、そのチームの使い方やルールをほかのメンバーに確認しましょう。

　Teamsを便利に使いこなすために必要なのは、とにかく「習うより慣れろ」です。使いはじめは慣れないなと感じても、まずは1週間、1カ月と利用してみましょう。失敗を恐れずに使い、さらにはほかのメンバーの失敗も許容できる雰囲気づくりもTeamsの活用には重要です。

次のページに続く

ハイブリッドワークにおいても重要な存在に

リモートワークにあるのはメリットだけではありません。同僚との何気ない会話が減ることで新たな発想やアイデアが出にくくなるなど、デメリットも指摘されています。そこで注目されているのが、仕事の内容や状況に応じてオフィスワークとリモートワークを柔軟に使い分ける「ハイブリッドワーク」という働き方です。

ハイブリッドワークでは、個人やチームの都合に合わせて、その日の働く場所を選択します。同僚と会って打ち合わせをしたい場合にはオフィス、集中して個人で作業を進めたい場合は自宅、といった具合です。

ハイブリッドワークで重要になるのは、オフィスや自宅など、どこにいたとしても同じように働けることです。また、一緒に働きコミュニケーションをとりあう同僚もまた、オフィスや自宅など、どこで働いているか分かりません。そのため、ハイブリッドワークでは、どこでも誰でも同じように利用できるTeamsが、働く場をつなぐハブとなり、重要な存在になります。

特徴・基本操作

概要

Teamsはハイブリッドワークにおいて、
働く場所をつなぐハブとなる

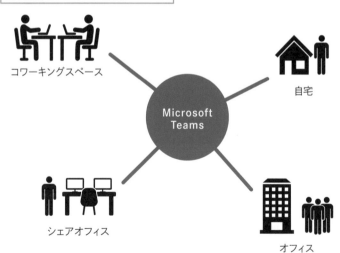

コワーキングスペース

自宅

Microsoft
Teams

シェアオフィス

オフィス

Teamsを利用するためのライセンス

　会社でTeamsを利用するためには、ライセンスの契約が必要になります。TeamsはMicrosoft 365やOffice 365に含まれるひとつのツールとして提供されているため、利用するにはそれらを契約します。

　Microsoft 365には、企業規模や利用できる機能によっていくつかのプランが用意されています。Teamsが含まれるプランの例は、Microsoft 365の「Business Basic」「Business Standard」「Business Premium」「E3」「E5」「A3」「A5」などがあります。また、大企業や教育機関向けライセンスとして以前から提供されているOffice 365のライセンスでも、「E3」「E5」「A1」「A3」「A5」などにTeamsが含まれます。本書では「Microsoft 365 Business Standard」を前提に解説していきます。

　また、家族や友人などとの利用を想定した個人向けTeamsが無料で提供されています。個人向けTeamsは、Microsoftアカウントを作成することで誰でも利用できます。ただし、利用できる機能に制限があり、オンライン会議には1回あたり最大60分の時間制限が設けられています。

　より長く会議を行いたい場合には、「Microsoft 365 Personal」などを契約することで、最大30時間まで連続したオンライン会議を行うことができます。Windows 11にプリインストールされているTeamsでは、この個人向けTeamsを利用できます。

● 法人向けTeams（Business Standard）と個人向けTeamsの主な違い

プラン	Microsoft 365 Business Standard	個人向け Microsoft Teams
利用料	1,360 円／月	無料
会議人数	最大 300 人	最大 100 人
会議時間	最大 30 時間／回	最大 60 分／回
画面共有	○	○
会議の録画	○	×
チームの作成	○	×
チャットの作成	○	○
Office アプリ	○	×

※利用料は1ユーザーあたりの税別価格、かつ自動更新による年間契約の場合

特徴・基本操作

メッセージとチャット

オンライン会議と通話

ファイルの共有

モバイルアプリ

チームの管理

機能の拡張

活用アイデア

002 Teamsの主な機能

知識

特徴・基本操作

概要

Teamsには多くの機能がありますが、まず押さえておくべき機能は「チャット」「オンライン会議」「ファイル共有」「Office連携」です。詳しい操作方法の前に、どういった機能があるかを知っておきましょう。

● チャット

あらかじめ作成しておいたチームのメンバーや、社内の特定の相手とテキストを利用してやりとりできます。絵文字などの利用や、SNSなどでよく見かける「いいね！」を使ったコミュニケーションも行えます。

> チャットはTeamsで最も基本的な機能となる

● オンライン会議

> 離れた場所にいても音声と映像で意思疎通できる

マイク／スピーカーやWebカメラを利用して、音声と映像を使ったやりとりができます。社内はもちろん、社外の顧客やパートナーとの会議でも利用できます。また、会議中にもチャットが利用できます。

● ファイル共有

業務上のやりとりには、ファイルの共有は欠かせません。Teamsでは、チームのメンバーとファイルを共有できます。また、特定のメンバーとファイルを共有しあうこともできます。

共有したファイルはチーム内で確認できる

● Office連携

共有されたOfficeファイルは、パソコンにダウンロードすることなく、Teams上で開くことができ、内容を確認できます。必要があればそのまま編集でき、複数人でも共同編集が行えます。

TeamsはOfficeアプリとの
連携が強みとなる

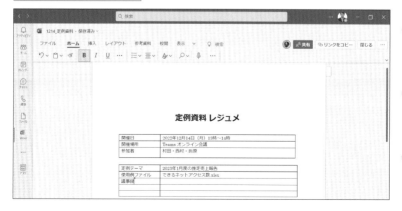

特徴・
基本操作

メッセージ
とチャット

オンライン
会議と通話

ファイルの
共有

モバイル
アプリ

チームの
管理

機能の
拡張

活用
アイデア

003 Microsoft 365と無料版の違い

知識

特徴・基本操作

　無料で利用できる個人向けのTeamsとは異なり、Microsoft 365などで提供される企業向けのTeamsのみで利用可能な機能が多く存在します。より高度な機能をユーザーが利用できるほか、アカウント管理やセキュリティの機能など、企業で利用するために必要な機能が備わっています。

概要

企業向けのTeamsのみで利用可能な機能

　企業向けのTeamsでは、チャットや会議のほかに「チーム」を利用したコラボレーションが行えます。チームで共有するファイルの保存容量として、プランに応じて組織あたり1TB以上が用意されるほか、ユーザーごとにも1TB以上の個人ストレージが利用できます。

　オンライン会議でも、企業向けのTeamsでは、より高度な機能が利用できます。会議中の発言の文字起こしやブレークアウトルーム、会議のレコーディングなどの機能が利用可能です。ほかにもユーザー管理やセキュリティおよび、コンプライアンス対策など、企業が安全に使うための機能が充実しています。

● 法人向けTeamsのプランごとの主な違い

プラン	Microsoft 365 Business Premium	Microsoft 365 Business Standard	Microsoft 365 Business Basic
利用料	2,390 円／月	1,360 円／月	650 円／月
会議人数	最大 300 人	最大 300 人	最大 300 人
会議時間	最大 30 時間／回	最大 30 時間／回	最大 30 時間／回
デスクトップ版 Office アプリ	○	○	×
ウェビナーの開催	○	○	×
デバイスの管理	○	×	×
顧客の予約管理	○	×	×
高度なセキュリティ	○	×	×

※利用料は1ユーザーあたりの税別価格、かつ自動更新による年間契約の場合

デスクトップアプリのダウンロード方法

　Microsoft 365を契約してパソコンのTeamsを利用するには、まずアプリを起動します。インストールされていない場合には、マイクロソフトの公式サイトからダウンロードします。このとき、会社や学校から発行されたアカウントでTeamsを利用するには、「職場/学校向けのTeams」を選択しましょう。

▼ Microsoft Teams

https://www.microsoft.com/ja-jp/microsoft-teams/download-app

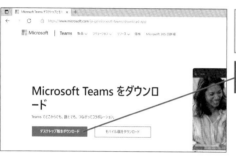

Webブラウザーを起動し、Teamsのダウンロードページを表示しておく

1 [デスクトップ版をダウンロード] をクリック

2 職場/学校向けの [Teamsをダウンロード] をクリック

デスクトップアプリをダウンロードできた

インストーラーを起動するとインストールが開始される

をダウンロード

特徴・基本操作

メッセージとチャット

オンライン会議と通話

ファイルの共有

モバイルアプリ

チームの管理

機能の拡張

活用アイデア

004 Teamsを使える デバイス

知識

特徴・基本操作

　Teamsは、パソコンにインストールするデスクトップアプリのほか、ブラウザーでも利用できます。また、スマートフォンやタブレット向けには、モバイルアプリが用意されています。近年のオンライン会議の増加を受け、会議室に備え付けるTeams専用デバイスもよく利用されています。働き方に応じて、最適なデバイスを使い分けられます。

概要

● デスクトップアプリ

　デスクトップアプリはWindowsとMac向けに提供されており、すべての機能を利用できます。タスクバーに常駐させておくことができ、いつでも通知を受け取れます。自宅や会社でパソコンが使えるときには、デスクトップアプリでTeamsを利用するのが最もおすすめです。

デスクトップアプリではすべての機能が利用できる

● モバイルアプリ

モバイルアプリは場所を選ばず利用できる

　移動中にチャットを確認したり、会議に参加したりできます。また、デスクトップアプリと同時に利用して、スマートフォンを会議中のマイクやスピーカー代わりにする、会議中に離席しなければならなくなったときに、モバイルアプリに会議を転送する、といったことも可能です。どのような場所でも柔軟にTeamsを利用できます。

● ブラウザー

ブラウザーからでもTeamsを利用できます。ほかの人のパソコンを一時的に借りるときなど、デスクトップアプリがインストールされていなくても、Teamsを利用可能です。使い勝手もデスクトップアプリと似ており、チャットやファイル共有はもちろん、オンライン会議に参加することもできます。必要なときに備えて、使い方を覚えておきましょう。

ブラウザーでログインするだけで利用できる

オンライン会議がスムーズにできる会議デバイス

オンライン会議への参加時に意外と手間がかかるのが、マイクやカメラなどの事前準備です。会議室にいる参加者の声をパソコン内蔵のマイクで拾うことは難しく、遠隔にいる参加者には声が途切れてしまい、円滑な会議進行の妨げになることもあります。

このような問題はTeams会議専用デバイスを備えておけば解決でき、ワンタッチで会議に参加できます。会議室での利用に最適化されたマイクとスピーカーによって、会議室からの声も、遠隔にいる参加者の声もお互いに聞き取りやすくなります。ハイブリッドワークでは会社の会議室と自宅をつなぐ会議が多くなるため、社内の会議室へのTeams会議専用デバイスの導入が進んでいます。

Teams会議専用デバイスはさまざまなメーカーから発売されており、Microsoftのサイトから一覧を確認できます。

▼ Microsoft Teams デバイス
https://www.microsoft.com/ja-jp/
microsoft-teams/across-devices

特徴・基本操作

メッセージとチャット

オンライン会議と通話

ファイルの共有

モバイルアプリ

チームの管理

機能の拡張

活用アイデア

005 チームとチャネルの役割

知識

　普段の仕事でも、同僚とチームを組んで作業を進める機会が増えています。Teamsでは「チーム」を作成し、共有される情報を「チャネル」で整理できます。これらの機能を知っておくことで、コミュニケーションをよりスムーズに行うことができます。

「チーム」と「チャネル」の役割

　Teamsにおける「チーム」とは、情報の共有範囲を示す単位です。部や課など、社内の組織に基づいて作成することもあれば、プロジェクトやタスクフォースなど、業務に応じて都度作成することもあります。チームの原則は、会話やファイルなどのやりとりが、メンバー全員と共有されることです。チーム内のオープンなコミュニケーションによって、情報の共有や伝達が早まることに期待できます。

　チーム内で共有される話題やタスクは「チャネル」を作成して整理します。チャネルはチーム内に複数作成できます。ひとつのチャネルで複数の話題を扱うこともできますが、情報を後から参照しやすくするためには、チャネルで整理したほうがよいでしょう。共有されたファイルなども、チャネル単位でまとめられます。

チャネルを活用して
情報を整理できる

W社様_個別案件
　一般
　結果報告

A社案件用（社内）

ユーザーを追加　　　　さらにチャネルを作成　　　　FAQ を開く

村田耕介　10/06 20:17
お世話になっております。

今後はTeamsでお話できればと思います。

詳細表示

↩ 返信

まずは「プライベートチーム」を作成してみる

チーム作成時には「プライベート」と「パブリック」の2種類から選択でき
ます。プライベートチームは、招待メンバーだけが利用できるチームです。
一方のパブリックチームは、社内のほかのメンバーがチームを検索でき、
自由にチームに参加できます。多くの用途ではプライベートチームが作成
されます。まずはプライベートチームを作成し、必要に応じて後からパブ
リックチームへの変更を検討してもよいでしょう。

社外ユーザーを招待することもできる

Teamsのチームには社内のユーザーだけでなく、社外のユーザーをメ
ンバーとして登録することも可能です。顧客やパートナーと一緒に進める
プロジェクトでは、プロジェクトのチームを作成して関係各社のメンバーを
登録します。

情報管理の観点では、これまで社内で利用していたチームに社外メン
バーを加えるのではなく、社外メンバーと共有するための新たなチームを
作成するのがおすすめです。

ただし、企業のIT部門によって管理されるTeamsでは、社外との共有
が制限されていることがあります。社外ユーザーを招待する前に、社内の
ルールや設定を確認しておきましょう。

案件ごとにチームを
作成できる

006 Windowsアプリの起動と初期設定

個人

特徴・基本操作

設定

Teamsはブラウザーでも利用できますが、より快適に使うにはデスクトップアプリの利用をおすすめします。IT部門の管理者から案内されたアカウント名やパスワードを利用してサインインしましょう。

❶ Teamsを起動する

1 [スタート] をクリック　**2** 検索ボックスに「Teams」と入力

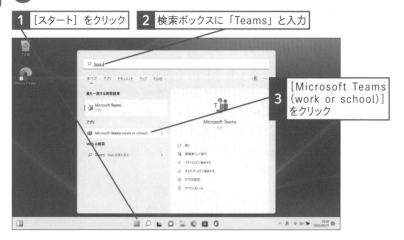

3 [Microsoft Teams (work or school)] をクリック

❷ Teamsにサインインする

1 [開始する] をクリック

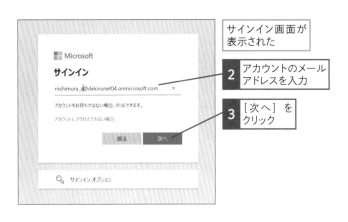

サインイン画面が
表示された

2 アカウントのメール
アドレスを入力

3 [次へ] を
クリック

3 パスワードを入力する

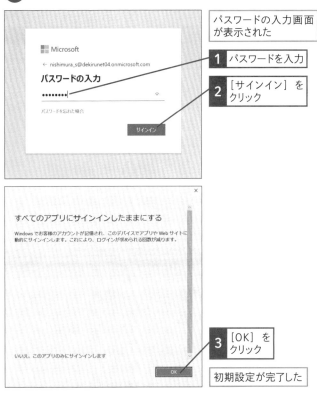

パスワードの入力画面
が表示された

1 パスワードを入力

2 [サインイン] を
クリック

3 [OK] を
クリック

初期設定が完了した

特徴・
基本操作

メッセージ
とチャット

オンライン
会議と通話

ファイルの
共有

モバイル
アプリ

チームの
管理

機能の
拡張

活用
アイデア

007 画面表示を切り替える

個人

特徴・基本操作

Teamsは、常に表示される画面左側の[チャット][チーム]などのメニューで機能を切り替えられます。チームのチャネルなどでは[投稿][ファイル]などのタブを切り替えて利用できます。

1 チャネルを表示する

操作

| 1 [チーム]を クリック | 2 表示したいチームの チャネルをクリック |

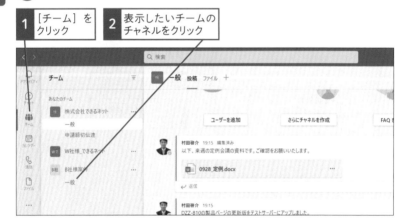

| チャネルが 表示された | [▼]をクリックするとチャネルの 表示/非表示を切り替えられる |

❷ チャネルのタブを切り替える

チャネルを表示 しておく	ここでは [ファイル] タブに 切り替える	**1** [ファイル] タブを クリック

タブが切り替わり、アップロードされた ファイルが一覧で表示された	[投稿] をクリックすると チャットの画面に戻る

〈ショートカットキー〉

[Ctrl] + [3] ……………………………… [チーム]（3番目のメニュー）を表示する

関連 098 チームやチャネルを表示する（モバイルアプリ）…………P.182

基本操作 特徴・

メッセージとチャット

オンライン会議と通話

ファイルの共有

モバイルアプリ

チームの管理

機能の拡張

活用アイデア

008 新しいチームを作成する

組織

特徴・基本操作

チーム

Teams活用の第一歩は、業務に応じたチームを作成することです。後から不要であれば削除もできます。まずは気軽にチームを作成してみましょう。なお、作成権限がない場合は管理者に確認してください。

① チームの作成方法を選択する

[チーム] を表示しておく

1 [チームに参加、またはチームを作成] をクリック

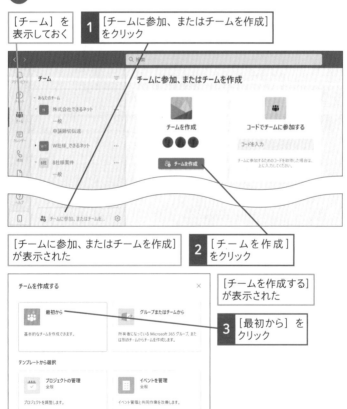

[チームに参加、またはチームを作成] が表示された

2 [チームを作成] をクリック

[チームを作成する] が表示された

3 [最初から] をクリック

② チームの種類を選択する

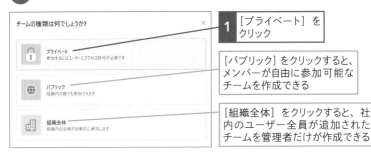

1 [プライベート] を
クリック

[パブリック] をクリックすると、
メンバーが自由に参加可能な
チームを作成できる

[組織全体] をクリックすると、社
内のユーザー全員が追加された
チームを管理者だけが作成できる

③ チーム名を入力する

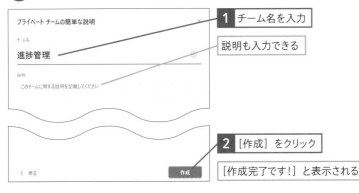

1 チーム名を入力

説明も入力できる

2 [作成] をクリック

[作成完了です!] と表示される

④ メンバーの候補を表示する

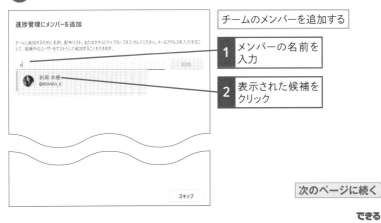

チームのメンバーを追加する

1 メンバーの名前を
入力

2 表示された候補を
クリック

特徴・
基本操作

メッセージ
とチャット

オンライン
会議と通話

ファイルの
共有

モバイル
アプリ

チームの
管理

機能の
拡張

活用
アイデア

次のページに続く

5 メンバーを追加する

進捗管理にメンバーを追加

チームに追加するために名前、配布リスト、またはセキュリティ グループを入力してください。メールアドレスを入力することで、組織外のユーザーをゲストとして追加することもできます。

折原 木穂 ✕　西村 西村 聡 ✕ ｜　　　　　　　**追加**

ほかの名前も入力すると複数人を同時に追加できる

1 [追加] をクリック

6 作成したチームを表示する

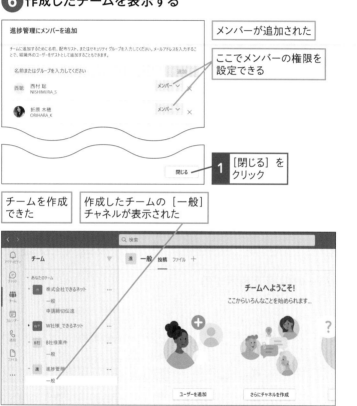

進捗管理にメンバーを追加

チームに追加するために名前、配布リスト、またはセキュリティ グループを入力してください。メールアドレスを入力することで、組織外のユーザーをゲストとして追加することもできます。

名前またはグループを入力してください　　　　　追加

西聡　西村 聡
　　　NISHIMURA_S　　　　　　　　　　メンバー ∨　✕

折原 木穂
ORIHARA_K　　　　　　　　　　　　メンバー ∨　✕

メンバーが追加された

ここでメンバーの権限を設定できる

閉じる

1 [閉じる] をクリック

チームを作成できた

作成したチームの [一般] チャネルが表示された

Q 検索

チーム　　　　　　　　　　進 **一般** 投稿 ファイル ＋

- あなたのチーム
  - 株式会社できるネット ・・・
    - 一般
    - 申請締切伝達
  - W社様_できるネット ・・・
  - B社 B社様案件 ・・・
    - 一般
  - 進 進捗管理 ・・・
    - 一般

チームへようこそ！
ここからいろんなことを始められます...

ユーザーを追加　　　さらにチャネルを作成

ポイント

● バージョンによっては、作成したチームの[一般]チャネルが表示されるのではなく、チーム作成画面に戻ります。

第2章

メッセージとチャット

気軽にできるチャットのコミュニケーション

チャット形式のやりとりをスムーズに行うための基本操作を紹介します。チャネルを利用したメンバーとの情報共有や、特定の人への連絡など、さまざまな使い方ができます。

009 メッセージを投稿する

組織

メッセージとチャット
投稿

　さっそくチームの「投稿」を利用して、メンバーとコミュニケーションをとってみましょう。メッセージは簡潔に要点を絞った内容にするのがコツです。たくさん投稿してチームを盛り上げましょう。

1 メッセージを入力する

投稿するチャネルを表示しておく

1 ここをクリック

[新しい投稿] をクリックしてもよい

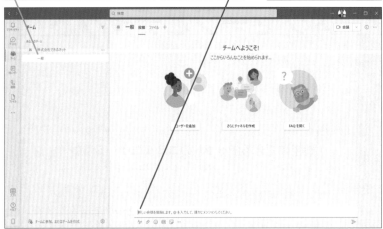

2 メッセージを入力

これからのやり取りはTeamsで行いましょう。まだ慣れませんが、よろしくお願いいたします。

② メッセージを送信する

1 [送信] をクリック

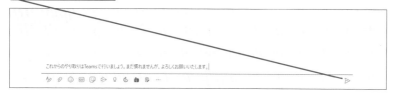

これからのやり取りはTeamsで行いましょう。まだ慣れませんが、よろしくお願いいたします。

③ メッセージを投稿できた

メッセージが投稿された

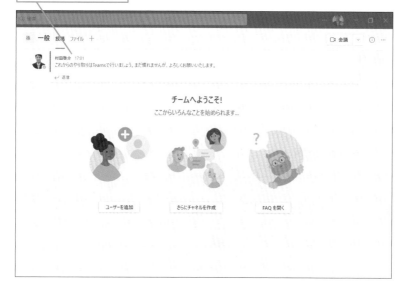

村田敬介 17:01
これからのやり取りはTeamsで行いましょう。まだ慣れませんが、よろしくお願いいたします。
← 返信

チームへようこそ!
ここからいろんなことを始められます...

ユーザーを追加　　　さらにチャネルを作成　　　FAQ を開く

特徴・基本操作

メッセージとチャット

オンライン会議と通話

ファイルの共有

モバイルアプリ

チームの管理

機能の拡張

活用アイデア

ショートカットキー

`Alt` + `Shift` + `C`	…………………………… 入力ボックスへの入力を開始する
`Shift` + `Enter`	……………………………………………………… 改行する
`Enter`	……………………………………………………………… 送信する
`Ctrl` + `Shift` + `Enter`	……………………………… 書式なしで貼り付ける

010 メッセージに返信する

組織

　チームの投稿では返信機能を上手に使いましょう。トピックごとにスレッドが作成され、後から会話の流れを把握しやすくなります。このスレッドの活用が、チームの投稿を使いこなす肝です。

1 返信の入力ボックスを表示する

1 [返信] をクリック

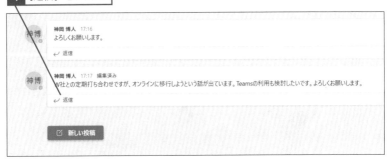

2 メッセージを入力する

返信の入力ボックスが表示された		1 メッセージを入力

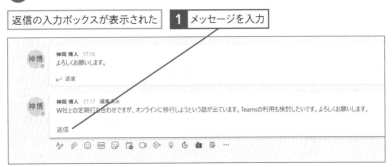

③ メッセージを送信する

1 [送信] をクリック

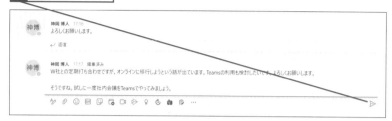

④ メッセージに返信できた

| 返信が投稿された | 続けてメッセージを入力できる |

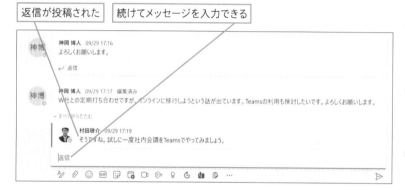

特徴・基本操作

メッセージとチャット

オンライン会議と通話

ファイルの共有

モバイルアプリ

チームの管理

機能の拡張

活用アイデア

〈ショートカットキー〉

`Alt`＋`Shift`＋`R` ………………………………… 返信用の入力ボックスを開く
返信した直後に `Ctrl`＋`↑` ……………………………………… 返信を編集する

関連 100 メッセージを投稿する（モバイルアプリ）………………… P.184

011 特定の人に宛てて メッセージを送信する

組織

メッセージとチャット

投稿

　チームのチャネルの投稿は、チームのメンバー全員が読むことができます。メールで例えると「CC」で送っている状態です。一方、特定のメンバーに読んでほしいメッセージがある場合には、「メンション」を使って投稿相手を明確に示すことができます。メールで例えると「To」で送るイメージです。また、自分宛てに届いたメンションは、通知が届くほかにも、投稿が「@」マークで強調表示され、目立つようになります。

① メンションする相手を選択する

| 1 「@」を入力 | メンションする相手の候補が表示された |

神岡 博人　17:16
よろしくお願いします。

↩ 返信

神岡 博人　17:17　編集済み
W社との定期打ち合わせですが、オンラインに移行しようという話が出ています。Teamsの利用も検

候補

折原 木穂
Orihara_k@dekirunet04.onmicrosoft.com

@ori

| 表示されない場合は名前の一部を入力する | 2 メンションしたい相手をクリック |

② メッセージを送信する

メンションが付いた

1 続けてメッセージを入力

2 [送信] をクリック

③ メンション付きのメッセージを投稿できた

メンション付きのメッセージが投稿された

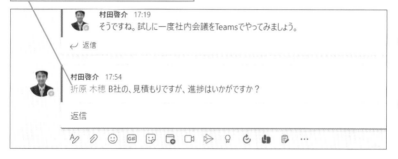

特徴・基本操作

メッセージとチャット

オンライン会議と通話

ファイルの共有

モバイルアプリ

チームの管理

機能の拡張

活用アイデア

ポイント

● 自分がメンションされたときの通知方法は、設定から変更可能です。変更方法は以下の関連ワザを参照してください。

関連 124 Teams の設定とオプション ……………………………… P.228

012 メッセージに ファイルを添付する

組織

チームに投稿するメッセージや返信では、ファイルを添付することもできます。共有されたファイルは、Teams上でのプレビュー表示や、Officeファイルの同時編集にも対応します。

1 [開く] ダイアログボックスを表示する

| 1 [添付] をクリック | | 2 [コンピューターからアップロード] をクリック |

2 ファイルを選択する

| [開く] ダイアログボックスが表示された | | 1 ファイルを選択 |

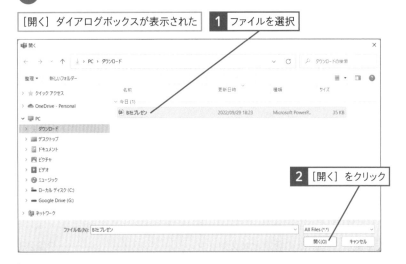

2 [開く] をクリック

メッセージとチャット

投稿

3 メッセージを送信する

ファイルが
添付された

添付するファイルを間違えた場合は、
ここをクリックすると削除できる

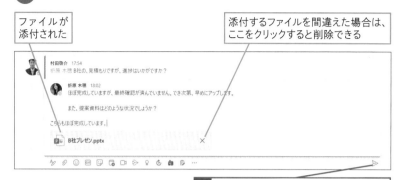

1 メッセージを入力し、[送信] をクリック

ファイル付きのメッセージが投稿された

基本操作・特徴

メッセージとチャット

オンライン会議と通話

ファイルの共有

モバイルアプリ

チームの管理

機能の拡張

活用アイデア

ポイント

● 複数のファイルを添付して送信することも可能です。

ショートカットキー

Alt + Shift + O ………………………………………… [添付] を表示する

関連 078 ファイルをアップロードする …………………………… P.152
080 Teams 上でファイルを開く …………………………… P.155
083 デスクトップアプリで Office ファイルを開く ………… P.156

013 メッセージに絵文字を付ける

組織

　メッセージには絵文字も利用できます。チャットのようにテキストがメインとなるコミュニケーションでは、メッセージがぶっきらぼうな印象を与えてしまい、相手の誤解を招いてしまうことがあります。絵文字を使って感情を表すことで、コミュニケーションが円滑になります。ただし、使いすぎには注意しましょう。

1 絵文字を選択する

| 1 [絵文字]をクリック | ここをクリックするとGIFアニメを入力できる | ここをクリックすると「ステッカー」を入力できる |

2 使用したい絵文字をクリック

② 絵文字を送信する

絵文字が入力された

1 [送信] をクリック

特徴・基本操作

メッセージとチャット

オンライン会議と通話

ファイルの共有

モバイルアプリ

チームの管理

機能の拡張

活用アイデア

絵文字付きメッセージが投稿された

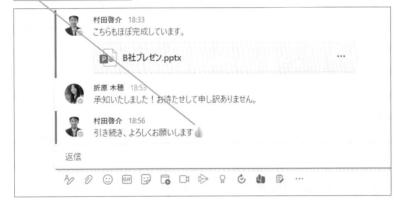

ポイント

● 「Giphy」は、さまざまな感情表現ができるGIFアニメーションが登録されているサービスです。モバイルアプリからも投稿できます。

● ステッカーの中には文字が編集できるものもあります。モバイルアプリからは投稿できません。

014 @メンションを使ってチーム全員に投稿する

組織

メッセージとチャット

投稿

チーム内の重要なお知らせは、全員に通知が届く特別なメンションを利用できます。ただし、通知が増えすぎても逆効果になります。チーム内でルールを決めて使いましょう。

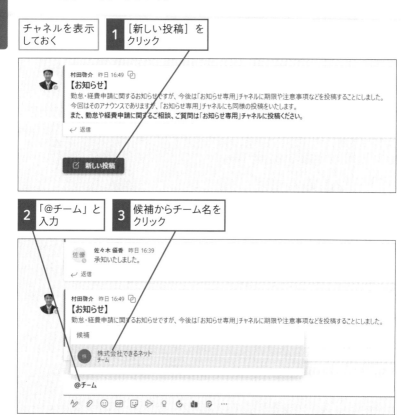

チャネルを表示しておく

1 [新しい投稿] をクリック

村田啓介 昨日 16:49
【お知らせ】
勤怠・経費申請に関するお知らせですが、今後は「お知らせ専用」チャネルに期限や注意事項などを投稿することにしました。今回はそのアナウンスでありますが、「お知らせ専用」チャネルにも同様の投稿をいたします。
また、勤怠や経費申請に関するご相談、ご質問は「お知らせ専用」チャネルに投稿ください。
↵ 返信

🗒 新しい投稿

2 「@チーム」と入力

3 候補からチーム名をクリック

佐優 佐々木 優香 昨日 16:39
承知いたしました。
↵ 返信

村田啓介 昨日 16:49
【お知らせ】
勤怠・経費申請に関するお知らせですが、今後は「お知らせ専用」チャネルに期限や注意事項などを投稿することにしました。

候補

株 株式会社できるネット
チーム

@チーム

✏️ 🖉 ⊘ 😊 GIF 🗔 ⨠ 🔅 🕑 📁 📄 …

チーム全員にメンション が指定された	**4** メッセージを入力し、[送信] をクリック

メッセージが 投稿された	チームのメンバー 全員に通知される

ポイント

- 「@チャネル」と入力することで、チャネルに対するメンションを指定できます。
- チャネルメンションは、チャネルを表示しているメンバーに通知が届きます。
- 日本語だけでなく、「@team」や「@channel」でもメンションを指定できます。

ショートカットキー

Shift + Enter	·· 改行する
Enter	·· 送信する

右端の縦書きサイドバー:

特徴・基本操作

メッセージとチャット

オンライン会議と通話

ファイルの共有

モバイルアプリ

チームの管理

拡張機能の

活用アイデア

015 書式付きのメッセージを送る

組織

メッセージは文字の大きさや太さの変更だけでなく、ハイライトなどの装飾や、箇条書きなどの書式設定ができます。メッセージが長いときなどに利用すると、読みやすくなります。

メッセージとチャット

書式

1 書式付きメッセージを入力する

1 [書式] をクリック　　書式付きメッセージの入力ボックスが表示された

```
☑ 新しい投稿 ∨    全員が返信できる ∨    ⬚ 複数のチャネルに投稿

B  I  U  S | ∀  A  AA    段落 ∨  A⁄ | ⫶≡  ⫶≡  ☰  ☷ | 99  ⇔  ⟨/⟩  ☰

件名を追加
新しい会話を開始します。@ を入力して、誰かにメンションしてください。

A⁄  𝒪  ☺  GIF  🗩  ⇗  ♡  ⟳  🖧  🗒  …
```

2 ここをクリックして件名を入力

```
☑ 新しい投稿 ∨    全員が返信できる ∨    ⬚ 複数のチャネルに投稿                                    🗑

B  I  U  S | ∀  A  AA    段落 ∨  A⁄ | ⫶≡  ⫶≡  ☰  ☷ | 99  ⇔  ⟨/⟩  ☰  ⊞ | ♡  …

勤怠管理
勤怠の締切は、10月4日（火）までです。

A⁄  𝒪  ☺  GIF  🗩  ⇗  ♡  ⟳  🖧  🗒  …                                               ▷
```

3 ここをクリックしてメッセージを入力

書式の設定をやめる場合は [削除] をクリックする

② メッセージにハイライトを付ける

1	ハイライトを付ける文字を選択	2	[テキストのハイライト]をクリック

3	色をクリック		太字や箇条書きなどの設定もできる

③ メッセージを投稿する

ハイライトが付いた		1	残りのメッセージを入力し、[送信]をクリック

書式付きのメッセージが投稿された

村田啓介 22:32
勤怠管理
勤怠の締切は、10月4日（火）までです。
まだ申請が済んでいない方はお早めにお願いします。

↩ 返信

ショートカットキー

[Ctrl] + [Shift] + [X] ………………… 書式付きメッセージの入力ボックスを開く

[Ctrl] + [Enter] ……………………………………………………… 送信する

特徴・基本操作

メッセージとチャット

オンライン会議と通話

ファイルの共有

モバイルアプリ

チームの管理

機能の拡張

活用アイデア

016 アナウンスを投稿する

組織

　アナウンスを利用した投稿は、大きな見出しが表示されるため、ほかのメッセージと比べても特に目立つものになります。チームへのお知らせなどで利用すると効果的です。

① アナウンスの入力ボックスを表示する

1	[書式]をクリック
2	[投稿の種類を選択します]をクリック
3	[アナウンス]をクリック

② 見出しを設定する

| アナウンスの入力ボックスが表示された | 1 見出しを入力 | 2 [配色]をクリック |

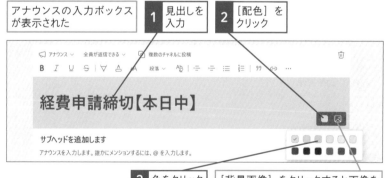

3 色をクリック

[背景画像]をクリックすると画像をアップロードして背景に設定できる

❸ アナウンスを投稿する

1 メッセージを入力し、[送信] をクリック

アナウンスが投稿された

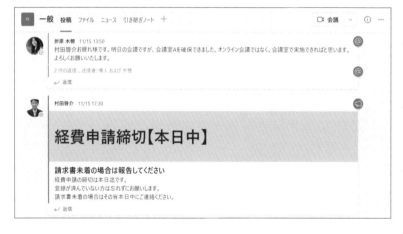

特徴・基本操作

メッセージとチャット

オンライン会議と通話

ファイルの共有

モバイルアプリ

チームの管理

機能の拡張

活用アイデア

〈ショートカットキー〉

Ctrl + Shift + X	……………	書式付きメッセージの入力ボックスを開く
Shift + Enter	………………………………………………………	改行する
Ctrl + Enter	………………………………………………………	送信する

017 メッセージの全体を表示する

個人

　長くなったメッセージは、5行目以降が折りたたまれて表示されます。4行目まででメッセージの概要が伝わるように文章を工夫しましょう。折りたたまれた文章は展開して全文表示もできます。

1 [詳細表示] をクリック

神博　**神岡 博人** 23:44 編集済み
村田啓介 E社との打ち合わせですが、以下の候補日で打診しようと思います。この中に参加できない日程がありま

○10月3日（月）13時〜14時
○10月4日（火）14時〜15時,17時〜18時
~~○10月5日（火）12時〜13時~~
詳細表示

↵ 返信

メッセージの全体が表示された	[簡易表示] をクリックするとメッセージが省略される

神博　**神岡 博人** 23:44 編集済み
村田啓介 E社との打ち合わせですが、以下の候補日で打診しようと思います。この中に参加できない日程がありま

○10月3日（月）13時〜14時
○10月4日（火）14時〜15時,17時〜18時
○10月5日（水）12時〜13時

ご確認ください。よろしくお願いします。
簡易表示

↵ 返信

ポイント

● モバイルアプリの場合、長文のメッセージは省略されず、すべて表示されます。

018 省略された返信を表示する

個人

　投稿されたメッセージは一度に多くの話題に目を通せるよう、スレッドが折りたたまれて表示されていることがあります。内容を確認したいスレッドは、省略された返信を展開して表示できます。

1 ［○件の返信］をクリック

 村田啓介 昨日 17:54
折原 木穂 B社の、見積もりですが、進捗はいかがですか?

6 件の返信、送信者: 自分 および 木穂

↩ 返信

省略された返信が表示された　　　［すべて折りたたむ］をクリックすると返信が省略される

 村田啓介 昨日 17:54
折原 木穂 B社の、見積もりですが、進捗はいかがですか?

▾ すべて折りたたむ

　　　折原 木穂 昨日 18:02
　　　ほぼ完成していますが、最終確認が済んでいません。でき次第、早めにアップします。

　　　また、提案資料はどのような状況でしょうか?

　　　村田啓介 昨日 18:33
　　　こちらもほぼ完成しています。

　　　📄 B社プレゼン.pptx　　　　　　　　　 …

　　　折原 木穂 昨日 18:53
　　　承知いたしました!お待たせして申し訳ありません。

　　　村田啓介 昨日 18:56
　　　引き続き、よろしくお願いします👍

　　　折原 木穂 15:51
　　　見積書を添付します。ご確認ください。

　　　📄 B社様 お見積もり.docx　　　　　　 …

関連 099 チャネルに投稿されたメッセージを確認する(モバイルアプリ)… P.183

019 メッセージを保存する

個人

チャットの利用が進むと会話の流れが早くなり、後から再確認したい大事なメッセージをさかのぼって探すのは大変です。メッセージを保存しておくことで、いつでもすぐに参照できます。

1 メッセージを保存する

1 メッセージにマウスポインターを合わせる

リアクションの候補が表示された

2 [その他のオプション]をクリック

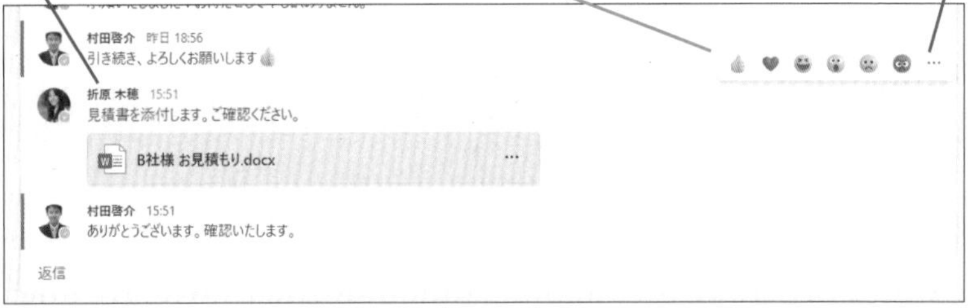
村田啓介 昨日 18:56
引き続き、よろしくお願いします
折原 木穂 15:51
見積書を添付します。ご確認ください。
B社様 お見積もり.docx
村田啓介 15:51
ありがとうございます。確認いたします。
返信

3 [このメッセージを保存する] をクリック

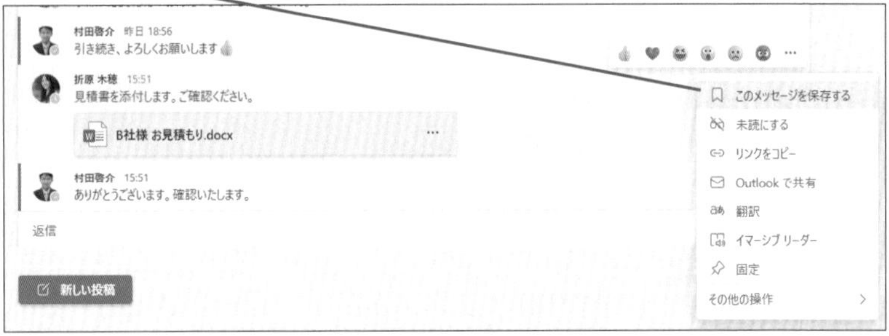
村田啓介 昨日 18:56
引き続き、よろしくお願いします
折原 木穂 15:51
見積書を添付します。ご確認ください。
B社様 お見積もり.docx
村田啓介 15:51
ありがとうございます。確認いたします。
返信
新しい投稿
このメッセージを保存する
未読にする
リンクをコピー
Outlook で共有
翻訳
イマーシブ リーダー
固定
その他の操作

② 保存したメッセージを確認する

メッセージが保存された | 1 ここをクリック | 2 ［保存済み］をクリック

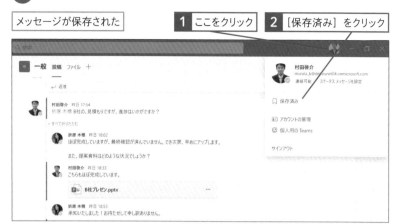

保存済みメッセージが
表示された

特徴・
基本操作

メッセージ
とチャット

オンライン
会議と通話

ファイルの
共有

モバイル
アプリ

チームの
管理

機能の
拡張

活用
アイデア

関連 029 メッセージを固定する ……………………………………… P.69

020 メッセージを編集する

組織

　どれだけ注意していても、投稿後に内容の間違いや誤字に気づくことがあります。投稿したメッセージは後から削除や編集が可能です。編集した内容に重要な変更点がある場合は、書式を利用して編集前と編集後が分かるように強調するなどして、分かりやすく記載しましょう。

1 メッセージを削除する

1 メッセージにマウスポインターを合わせる	リアクションの候補が表示された	2 [その他のオプション]をクリック

神博　**神田 博人** 昨日 23:44　編集済み
村田啓介 B社との打ち合わせですが、以下の候補日で打診しようと思います。この中に参加できない日程がありましたら外すので、お知らせく…

○10月3日（月）13時〜14時
○10月4日（火）14時〜15時,17時〜18時
○10月5日 12時〜13時
さらに表示
↩ 返信

今日

村田啓介 昨日 17:54
近所 代表 B社の、見積もりですが、進捗はいかがですか？

5 件の返信、送信者: 自分 および 木穂
　　村田啓介 15:51
　　ありがとうございます。確認いたします。
↩ 返信

村田啓介 16:43
otukareasamdesu

メニュー項目:
- 📌 このメッセージを保存する
- ✏ 編集
- 🗑 削除
- 👁 未読にする
- 🔗 リンクをコピー
- ✉ Outlook で共有
- 🔤 翻訳
- 📖 イマーシブ リーダー
- 📌 固定
- 🔕 通知をオフにする
- その他の操作　>

3 [削除] をクリック

メッセージが削除された	[元に戻す] をクリックするとメッセージを復元できる

5 件の返信、送信者: 自分 および 木穂
　　村田啓介 15:51
　　ありがとうございます。確認いたします。
↩ 返信

🗑　*このメッセージは削除されました。* 元に戻す

返信

このメッセージはTeamsからサインアウトすると消え、ほかのメンバーには表示されない

2 メッセージの編集画面を表示する

1 メッセージにマウスポインターを合わせる	リアクションの候補が表示された	2 [その他のオプション]をクリック

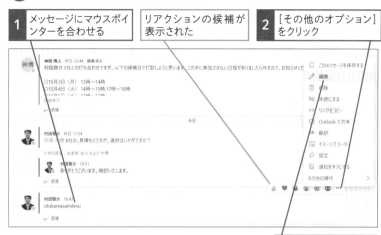

3 [編集] をクリック

3 メッセージを編集する

メッセージの編集画面が表示された	1 メッセージを編集

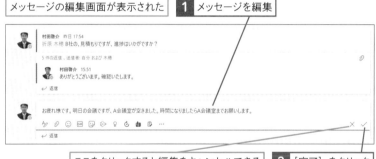

ここをクリックすると編集をキャンセルできる	2 [完了] をクリック

メッセージが編集された

編集されたメッセージには
[編集済み] と表示される

特徴・
基本操作

メッセージ
とチャット

オンライン
会議と通話

ファイルの
共有

モバイル
アプリ

チームの
管理

機能の
拡張

活用
アイデア

021 メッセージを検索する

個人

Teamsに投稿されたメッセージは後から検索できます。Teams内全体を検索する方法と、特定のチームのチャネルだけを検索する方法があります。2つの方法を使い分けられるとより便利です。

メッセージとチャット

検索

1 メッセージを検索する

ここでは「見積書」を含むメッセージを検索する	**1** [検索] をクリック

2 「見積書」と入力	**3** ここをクリック

② メッセージの全文を表示する

検索結果が表示された	**1** メッセージをクリック

メッセージの全文が表示された	「見積書」を含むメッセージを検索できた

[メッセージに移動] をクリックするとチャネルに移動できる

特徴・基本操作

メッセージとチャット

オンライン会議と通話

ファイルの共有

モバイルアプリ

チームの管理

機能の拡張

活用アイデア

次のページに続く ＞

③ ショートカットキーで特定のチャネル内を検索する

あらかじめチャネルを選択しておく

1 Ctrl+Fキーを押す

検索ボックスにカーソルが表示された

2「見積書」と入力 **3** Enterキーを押す

チャネル内で「見積書」の検索結果が表示された

〈ショートカットキー〉

Ctrl+E……………………………………………………………[検索]を表示する

Ctrl+F………………………………………… 特定のチャネル内を検索する

022 未読メッセージを確認する

個人

　自分にメンションされた投稿、もしくは自分の投稿へのリアクションや返信などがあると、[アクティビティ]に通知が届きます。通知の内容を確認することで、わざわざチャネルやチャットを開く必要がなく、投稿内容を把握できます。通知が増えたと感じた場合は、[未読]だけをフィルターして表示すると便利です。

[アクティビティ]を表示しておく

1 [未読のみ]をクリック

未読メッセージのみが表示された

2 メッセージをクリック

未読メッセージがハイライトされた

023 メッセージに「いいね!」をする

組織

メッセージとチャット

リアクション／チャット

　「いいね !」を利用することで、メッセージの内容への賛同を示すのはもちろん、確認や理解の意思を手軽に素早く示すことができます。効果的に使うことでコミュニケーションを効率化できます。

| **1** メッセージにマウスポインターを合わせる | リアクションの候補が表示された | **2** [いいね!]をクリック |

メッセージに [いいね!]が付いた

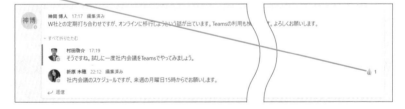

ポイント

- モバイルアプリの場合、[…]をタップするとリアクションの候補が表示されます。
- モバイルアプリの場合、メッセージを長押しすることでもリアクションの候補を表示できます。

関連 **134** チャットで行うコミュニケーションのコツ ……………… P.250

024 特定のメンバーと チャットをする

組織

「チャット」を利用すると、1対1や複数人のグループなど、特定のメンバーとチャットでコミュニケーションできます。人事情報や個別案件など、チーム全体と共有する必要のない内容はプライベートチャットを利用しましょう。

1 相手を選択する

1 [チャット] をクリック

2 [新しいチャット] をクリック

説明が表示された場合は [OK] か [設定] をクリックする

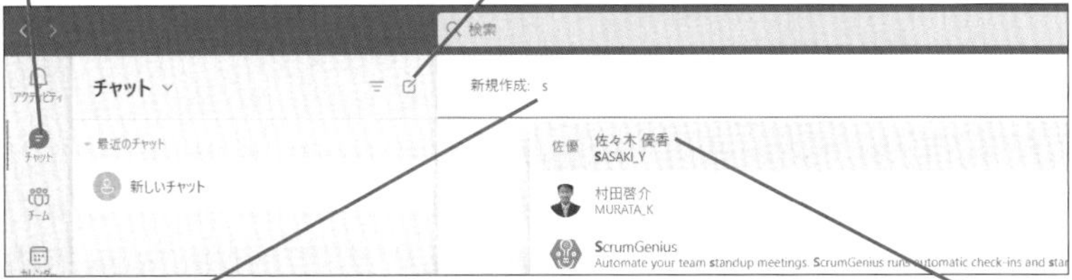

🔍 検索

チャット ▽　　　　　　　　　　　新規作成: s

▾ 最近のチャット

😊 新しいチャット

佐優　佐々木 優香
$SASAKI_Y

村田啓介
MURATA_K

ScrumGenius
Automate your team standup meetings. ScrumGenius runs automatic check-ins and star

3 相手の名前を入力

4 表示された候補をクリック

ほかの人の名前を続けて入力すると メンバーを追加できる

5 入力ボックスをクリック

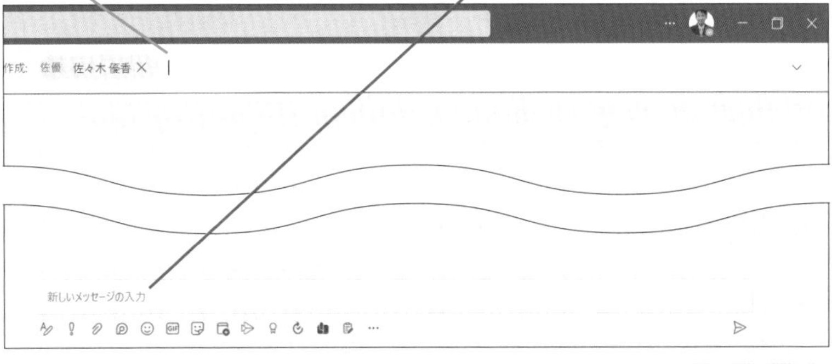

作成: 佐優 佐々木 優香 ✕　|

新しいメッセージの入力

次のページに続く ⟩

（右側縦書き見出し）
特徴・基本操作
メッセージとチャット
オンライン会議と通話
ファイルの共有
モバイルアプリ
チームの管理
機能の拡張
活用アイデア

2 メッセージを入力する

送信相手が確定した　│ 1 │ メッセージを入力

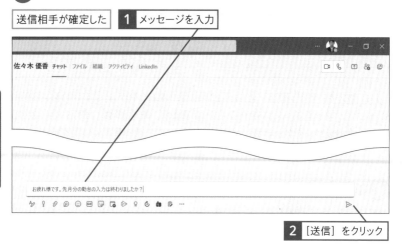

佐々木 優香　チャット　ファイル　組織　アクティビティ　LinkedIn

お疲れ様です。先月分の勤怠の入力は終わりましたか？

│ 2 │ [送信] をクリック

3 メッセージを送信できた

チャットにメッセージが
送信された

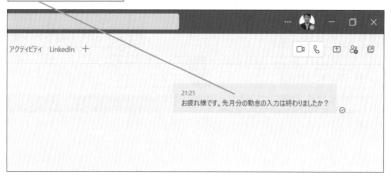

アクティビティ　LinkedIn　＋

21:21
お疲れ様です。先月分の勤怠の入力は終わりましたか？

〈 ショートカットキー 〉

Ctrl + N ………………………………………………… [新しいチャット] を表示する
Ctrl + 2 …………………………… [チャット] （2 番目のメニュー）を表示する

関連 107 特定のメンバーとチャットをする（モバイルアプリ）…… P.196

025 自分だけのチャットルームを利用する

個人

　チャットでは、自分だけのチャットルームを作成することもできます。誰かに共有する意図のない自分用のメモやタスクを書き留めておくのに便利です。ほかにも、モバイルアプリで撮影した画像をパソコンに送信したり、パソコンで調べた地図のURLをモバイルアプリに送信したりなど、さまざまなデバイスを越えて情報を共有する使い方ができます。

1 自分を選択する

1 [チャット] をクリック	2 [新しいチャット] をクリック	説明が表示された場合は [OK] か [設定] をクリックする

3 自分の名前を入力	4 表示された候補をクリック

特徴・基本操作

メッセージとチャット

オンライン会議と通話

ファイルの共有

モバイルアプリ

チームの管理

機能の拡張

活用アイデア

次のページに続く

② メッセージを入力する

自分用のチャット画面
が表示された

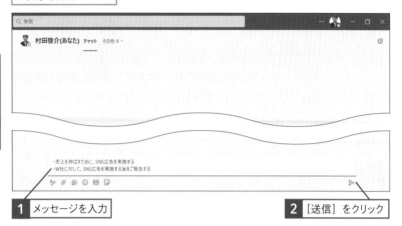

1 メッセージを入力

2 [送信] をクリック

③ メッセージを送信できた

自分用のチャットにメッ
セージを送信できた

ファイルも送信
できる

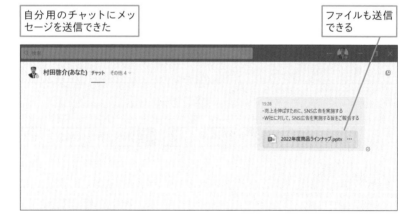

〈 ショートカットキー 〉

[Ctrl]+[N]……………………………………………………[新しいチャット] を表示する

[Ctrl]+[2]……………………………… [チャット] (2番目のメニュー) を表示する

チャット

026 特定のメンバーとファイルを共有する

組織

特定のメンバーとのチャットでも、ファイルを添付して共有できます。ほかのメンバーと共有することなく、個別に受け渡ししたいファイルのやりとりに活用できます。

特徴・基本操作

メッセージとチャット

オンライン会議と通話

ファイルの共有

モバイルアプリ

チームの管理

機能の拡張

活用アイデア

1 [開く] ダイアログボックスを表示する

チャットを表示しておく　　1 [添付] をクリック

2 [コンピューターからアップロード] をクリック

2 ファイルを選択する

[開く] ダイアログボックスが表示された　　1 ファイルを選択　　2 [開く] をクリック

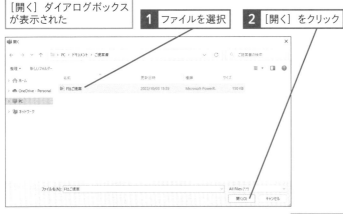

次のページに続く

❸ ファイルを送信する

メッセージにファイルが
添付された

| 1 | メッセージを入力 |

| 2 | [送信] をクリック |

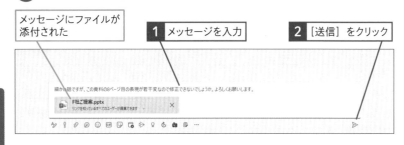

ファイル付きのメッセージが
送信された

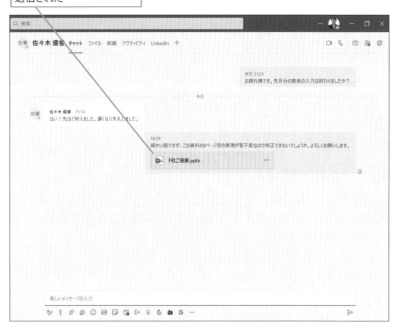

ポイント

● チャットに添付されたファイルは、添付したユーザーのOneDrive for Businessに保存
されます。ユーザーアカウントが削除されるとファイルも利用できなくなります。

027 チャットに別のメンバーを招待する

組織

　チャットには、ほかのメンバーをいつでも新たに招待できます。チャットの話題に関して、参加していないほかの人にも声をかけたいときに利用しましょう。

1 メンバーの追加画面を表示する

メンバーを追加したいチャットを表示しておく

1 [参加者の表示と追加] をクリック

2 [ユーザーの追加] をクリック

2 メンバーを追加する

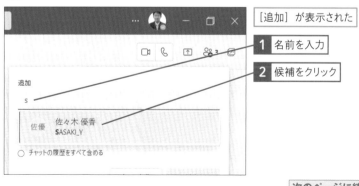

[追加] が表示された

1 名前を入力

2 候補をクリック

次のページに続く

できる | 65

③ チャットの履歴の共有範囲を選択する

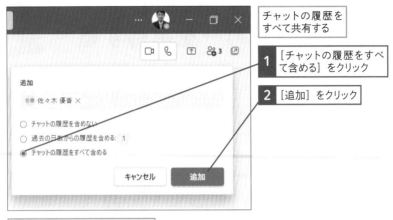

チャットの履歴を
すべて共有する

1 [チャットの履歴をすべて含める] をクリック

2 [追加] をクリック

チャットにメンバーが追加された

ポイント

● 新たにメンバーを追加したとき、[追加]画面で[チャットの履歴を含めない]を選択すると、追加したメンバーは過去のやりとりを見ることができません。また [過去の日数からの履歴を含める] を選択して日数を指定すると、指定した日数から後の履歴だけが見られるようになります。

● メンバーが3人以上のチャットに新しくメンバーを加えるときに、チャットの履歴を含めることができます。2人のチャットに3人目を加えるときには履歴は含められません。

028 フィルターを使って 検索結果を絞り込む

個人

チャットの内容だけを検索するには、検索画面のフィルターを利用します。発言者や自分宛てのメンションがあったメッセージ、ファイルなどの条件を組み合わせることで、効率よく探せます。

1 メッセージを検索する

「提案」を含み、かつ添付ファイル
付きのメッセージを検索する

1 「提案」と
入力

2 ここをクリック

2 検索結果にフィルターをかける

検索結果が
表示された

1 [メッセージ] を
クリック

次のページに続く

検索フィルタが表示された

2 [種類]の[▼] をクリック	3 [チャット]を クリック	4 [添付ファイルあり]に チェックを付ける

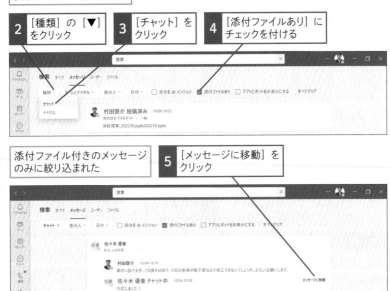

添付ファイル付きのメッセージ のみに絞り込まれた	5 [メッセージに移動]を クリック

メッセージの全文が 表示された	「提案」を含み、かつ添付ファイル 付きのメッセージを検索できた

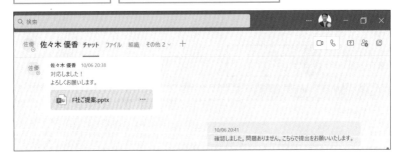

⟨ショートカットキー⟩

Ctrl + E	.... [検索]を表示する
Ctrl + F	.... 現在のチャット内を検索する

029 メッセージを固定する

組織

　チャネル内のやりとりで決めたタスクやスケジュールなど、メンバーに後から見返してほしい投稿は固定表示しましょう。チームのチャネルでは[チャネル情報]で固定された投稿を確認できます。

1 メッセージを固定する

チャネルを表示しておく	1 メッセージにマウスポインターを合わせる	2 [その他のオプション]をクリック

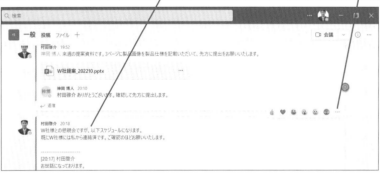

3 [固定]をクリック

特徴・基本操作

メッセージとチャット

オンライン会議と通話

ファイルの共有

モバイルアプリ

チームの管理

機能の拡張

活用アイデア

次のページに続く

できる 69

メッセージが固定された

2 固定したメッセージを確認する

1 [チャネル情報] をクリック

[ピン留めされた投稿] から固定メッセージを確認できる

ポイント

● 固定したメッセージは、チャネルのメンバー全員に共有されます。

● 特定のメンバーとのチャットでも、チャット内で1つだけメッセージを固定表示できます。

● 自分だけが見返したいメッセージは、固定ではなく「メッセージを保存する」(P.50)機能のほうが適しています。

030 チャットルームを固定する

個人

チャットの利用が多くなると、一覧から目的の相手を探すのが大変になります。頻繁にやりとりする相手やグループのチャットは固定表示すると、チャット一覧の上部にまとめて表示できます。

| チャットを表示しておく | 1 [その他のオプション]をクリック | 2 [固定]をクリック |

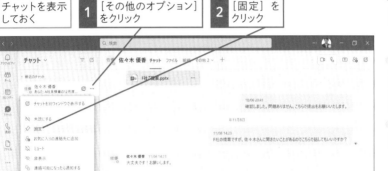

| チャットが固定された | [固定表示を解除]をクリックすると固定を解除できる |

ポイント

● 固定したチャットは、ドラッグ＆ドロップで並べ替えができます。

特徴・基本操作
メッセージとチャット
オンライン会議と通話
ファイルの共有
モバイルアプリ
チームの管理
機能の拡張
活用アイデア

031 チャットの表示を コンパクトにする

個人

メッセージとチャット

チャット

チャットの表示は、好みに応じて2種類から選択できます。[コンパクト]を選択すると、さまざまな情報が簡略化された状態で表示されるため、一度に多くのメッセージを確認できるようになります。

| 1 | [その他のオプション] をクリック |
| 2 | [設定] を クリック |

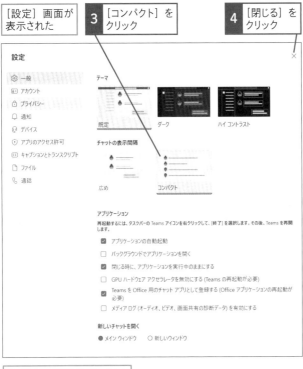

[設定] 画面が
表示された

3 [コンパクト] を
クリック

4 [閉じる] を
クリック

設定

⚙ 一般
🔲 アカウント
🔒 プライバシー
🔔 通知
🖥 デバイス
⚙ アプリのアクセス許可
📹 キャプションとトランスクリプト
📄 ファイル
📞 通話

テーマ

既定　　　　　ダーク　　　　ハイ コントラスト

チャットの表示間隔

広め　　　　　コンパクト

アプリケーション

再起動するには、タスクバーの Teams アイコンを右クリックして、[終了] を選択します。その後、Teams を再開
します。

☑ アプリケーションの自動起動

☐ バックグラウンドでアプリケーションを開く

☑ 閉じる時に、アプリケーションを実行中のままにする

☐ GPU ハードウェア アクセラレータを無効にする (Teams の再起動が必要)

☑ Teams を Office 用のチャット アプリとして登録する (Office アプリケーションの再起動が
必要)

☐ メディア ログ (オーディオ、ビデオ、画面共有の診断データ) を有効にする

新しいチャットを開く

● メイン ウィンドウ　　○ 新しいウィンドウ

チャットの表示がコンパクト
になった

関連 124 Teams の設定とオプション ……………………………………… P.228

032 新しいウィンドウでチャットを開始する

個人

チャットでは、それぞれのチャットを別ウィンドウで表示できます。チャットをしながらチームの投稿やカレンダーの予定を確認するなど、ほかの機能と並行して同時に利用できます。

チャットを表示しておく	1	[チャットウィンドウで表示する] をクリック

チャットが別ウィンドウで表示された

033 チャット内の特定の メッセージに返信する

組織

チャット内の特定のメッセージに返信ができます。返信を使って投稿されたメッセージは、どのメッセージに関連したものかがひと目で分かります。

① 特定のメッセージを選択する

チャットを表示しておく	1 メッセージにマウスポインターを合わせる	2 [その他のオプション]をクリック

3 [返信] をクリック

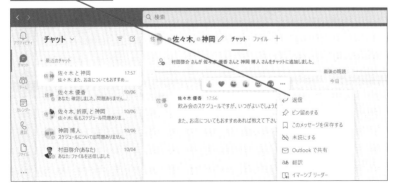

次のページに続く

特徴・基本操作

メッセージとチャット

オンライン会議と通話

ファイルの共有

モバイルアプリ

チームの管理

機能の拡張

活用アイデア

② メッセージに返信する

メッセージが選択された	**1** メッセージを入力し、[送信] をクリック

佐々木 優香　2022/10/07 17:56　　×
飲み会のスケジュールですが、いつがよいでしょうか？

基本カレンダー通りで大丈夫ですが、来週の火曜日だけ22時以降はNGです。|

返信が投稿された

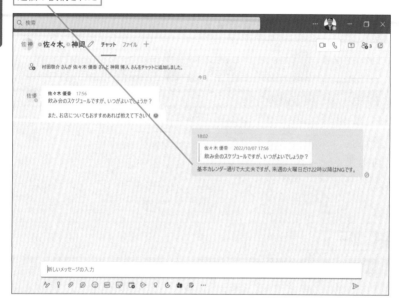

村田啓介 さんが 佐々木 優香 さんと 神岡 博人 さんをチャットに追加しました。

今日

佐々木 優香　17:56
飲み会のスケジュールですが、いつがよいでしょうか？

また、お店についてもおすすめあれば教えて下さい！

18:02
佐々木 優香　2022/10/07 17:56
飲み会のスケジュールですが、いつがよいでしょうか？

基本カレンダー通りで大丈夫ですが、来週の火曜日だけ22時以降はNGです。

新しいメッセージの入力

ポイント

● 返信に引用された元のメッセージをクリックすると、自動的にスクロールされ、元のメッセージの場所が表示されます。

034 メールを使って投稿する

組織

チームのチャネルには、それぞれ個別のメールアドレスを持たせることができます。このメールアドレスに送られたメールの内容はチャネルに投稿され、そこから会話をはじめることもできます。

1 メールアドレスを取得する

チャネルに投稿するための
メールアドレスを取得する

1 [その他のオプション] を
クリック

2 [メールアドレスを取得]
をクリック

- ◯ チャネルの通知
- ✧ 固定
- ⚙ チャネルを管理
- ✉ メール アドレスを取得
- ↪ チャネルへのリンクを取得

2 メールアドレスをコピーする

[メールアドレス
を取得] が表示
された

メール アドレスを取得

その他のオプションについては 詳細設定 を参照してください。

一般 - 株式会社できるネット <3ed42540.dekirunet04.onmicrosoft.com@jp.teams.ms>

🗑 電子メール アドレスを削除する

閉じる　　コピー

1 [コピー] を
クリック

特徴・
基本操作

メッセージ
とチャット

オンライン
会議と通話

ファイルの
共有

モバイル
アプリ

チームの
管理

機能の
拡張

活用
アイデア

次のページに続く

③ メールをチャネルに送信する

受信したメールを転送する	メールの作成画面を表示しておく

1 [宛先] にコピーしたメールアドレスを貼り付ける

W社の藤山Sさんから資料が送られてきたので、転送します。
~~~~~~~~~~~~~
村田様

お世話になっております。W社の藤山です。
先日のお打合せいただいた件につきまして、
新たな資料が見つかりましたので、送付いたします。
ご参考になれば幸いです。

よろしくお願いいたします。

2 [送信] をクリック

メールを送信したチャネルを表示しておく	メールがメッセージとして投稿された

村田敬介 メールを使用 15:43
転送先 一般 - 株式会社できるネット

FW:関連資料の送付
W社の藤山Sさんから資料が送られてきたので、転送します。
~~~~~~~~~~~~~
村田様

お世話になっております。W社の藤山です。
先日のお打合せいただいた件につきまして、
新たな資料が見つかりましたので、送付いたします。
ご参考になれば幸いです。

よろしくお願いいたします。

簡易表示

元のメールを表示 (1 件の添付ファイル)

2022年度商品ラインナップ_1320501673.pptx

↵ 返信

035 チャネル個別の通知設定を変更する

個人

投稿を見落とせない重要なチャネルでは、投稿があるたびに通知を受け取れる設定に変更しましょう。チャネルの重要度や利用頻度に応じて設定を変更し、大事な情報に気づきやすくしておきます。

1 チャネルを選択する

1 [チーム] をクリック　**2** [一般] をクリック

2 チャネルの通知設定を変更する

1 [その他のオプション] をクリック　**2** [チャネルの通知] をクリック　**3** [カスタム] をクリック

次のページに続く ▷

特徴・基本操作

メッセージとチャット

オンライン会議と通話

ファイルの共有

モバイルアプリ

チームの管理

機能の拡張

活用アイデア

[チャネル通知の設定] が表示された

4 [▼] をクリック

5 [フィードにのみ表示] をクリック

[フィードにのみ表示] を選択すると、[アクティビティ] にのみ通知が届くようになる

③ 通知設定を保存する

1 [保存] をクリック

チャネルの通知設定が変更された

ショートカットキー

Ctrl + 3 ………………………………… [チーム] (3番目のメニュー) を表示する

036 複数のチャネルに メッセージを投稿する

組織

　それぞれのチームに同じ内容のお知らせを投稿するときなど、複数の
チームやチャネルにまとめて投稿できます。後から投稿を編集した場合も
すべてに反映されるため、管理が容易になります。

1 書式付きメッセージを選択する

| チャネルを表示 | 1 [新しい投稿]を |
| しておく | クリック |

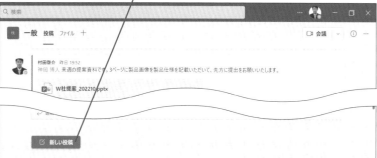

2 [書式] をクリック

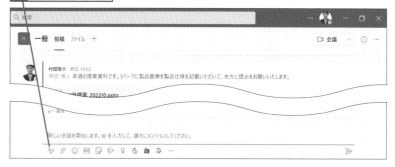

次のページに続く >

サイドバー（縦書き）：
特徴・基本操作
メッセージとチャット
オンライン会議と通話
ファイルの共有
モバイルアプリ
チームの管理
機能の拡張
活用アイデア

❷ 投稿するチャネルを選択する

書式付き入力ボックスが表示された	**1** [複数のチャネルに投稿] をクリック	**2** [チャネルを選択] をクリック

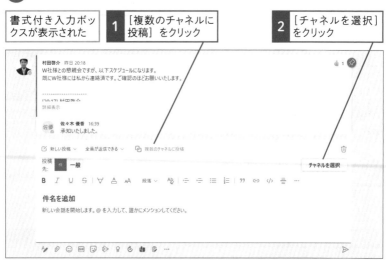

3 投稿したいチャネルにチェックを付ける

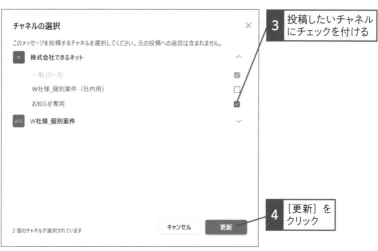

4 [更新] をクリック

③ メッセージを投稿する

投稿するチャネルが
複数選択された

[×]をクリックすると
投稿先を削除できる

特徴・
基本操作

メッセージ
とチャット

オンライン
会議と通話

ファイルの
共有

モバイル
アプリ

チームの
管理

機能の
拡張

活用
アイデア

1 メッセージを入力

2 [送信]をクリック

複数のチャネルにメッセージが
投稿された

関連 **014** @メンションを使ってチーム全員に投稿する……………P.42

037 プレゼンスとは

知識

メッセージとチャット　プレゼンス

　Teamsの「プレゼンス」を見れば、相手がいまTeamsで連絡が可能な状態なのか、それとも会議などで取り込み中なのかがひと目で分かります。プレゼンスの状態に応じて、Teamsかそれ以外の連絡手段かを検討するときの参考にできます。

プレゼンスに応じて連絡手段を変える

　ユーザーのアイコンに表示されるプレゼンスによって、[連絡可能][取り込み中][応答不可][退席中][会議中]といった相手の状態を知ることができます。

　例えば、プレゼンスが[連絡可能]であればチャットや通話で話かけ、[会議中]であれば通話を控えるといった判断ができます。自分のプレゼンスも相手に表示されるため、お互いに相手を思いやってコミュニケーションしましょう。

> ユーザーのアイコンの右下に
> プレゼンスが表示される

村田啓介 メールを使用　月曜日 15:43
転送先 一般 - 株式会社できるネット

FW:関連資料の送付
W社の藤山Sさんから資料が送られてきたので、転送します。
〜〜〜〜〜〜〜〜〜〜〜〜
村田様

詳細表示

✉ 元のメールを表示 (1 件の添付ファイル)

 2022年度商品ラインナップ_1320501673.pptx　　…

038 プレゼンスを手動で変更する

組織

プレゼンスはTeamsでの通話や会議、Outlookやカレンダーに登録した予定などによって自動的に設定されます。それ以外にも、集中して作業したいため、ほかのメンバーに連絡を控えてほしい場合には、手動で[取り込み中]や[応答不可]といったプレゼンスに変更できます。

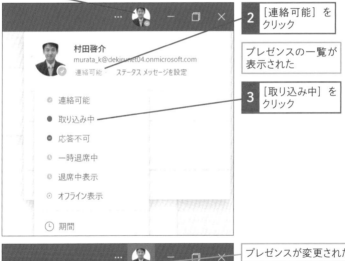

1 ここをクリック

2 [連絡可能]をクリック

プレゼンスの一覧が表示された

村田啓介
murata_k@dekirunet04.onmicrosoft.com
連絡可能 ステータス メッセージを設定

3 [取り込み中]をクリック

- ● 連絡可能
- ● 取り込み中
- ● 応答不可
- ◐ 一時退席中
- ◐ 退席中表示
- ◉ オフライン表示

- �🕐 期間

プレゼンスが変更された

▢ 会議 ∨ ⓘ …

👍 1

関連 108 プレゼンスを変更する（モバイルアプリ）……………… P.197

039 ステータスメッセージを設定する

組織

メッセージとチャット　プレゼンス

　チャットで手早く連絡を取り合えるのがTeamsのメリットです。しかし、用事で数時間退席するなど、メッセージを確認できない時間もあります。そうした場合、ステータスメッセージを設定しておくことで、相手に状況を伝えられるため便利です。

1 ステータスメッセージの有効期間を設定する

1 ここをクリック

2 [ステータスメッセージを設定] をクリック

設定画面が表示された

ステータスメッセージの有効期間を4時間に設定する

3 [今日] をクリック

4 [4時間] をクリック

❷ ステータスメッセージを設定する

有効期間が設定された

1 ステータスメッセージを入力

〈 戻る

16時台は応答できません。

267

☐ 他のユーザーが自分にメッセージを送るときに表示する ⓘ

ステータス メッセージの有効期間

4 時間

外出中のスケジュール

2 [完了] をクリック

完了

ステータスメッセージが設定された

村田啓介
murata_k@dekirunet04.onmicrosoft.com
連絡可能 ・ ステータス メッセージを編集してください

16時台は応答できません。
表示期限: 16:58

✐ 🗑

ここをクリックすると編集・削除できる

有効期間が過ぎると自動的に削除される

🔖 保存済み

🔢 アカウントの管理

🔲 個人用の Teams

サインアウト

特徴・基本操作

メッセージとチャット

オンライン会議と通話

ファイルの共有

モバイルアプリ

チームの管理

機能の拡張

活用アイデア

ポイント

● ステータスメッセージの中に「@」を入力すると、特定のメンバーに対してメンションできます。
● [他のユーザーが自分にメッセージを送るときに表示する] にチェックを付けると、ほかのユーザーが自分宛てにメッセージを送ろうとした場合にステータスメッセージが表示されます。

040 プレゼンスを手動で リセットする

組織

メッセージとチャット

プレゼンス

　手動で設定したプレゼンスは、Teamsの利用状況に応じて自動設定されたプレゼンスよりも優先的に表示されます。利用状況や予定に応じた自動設定に戻すには、プレゼンスの状態をリセットしましょう。

1 ここをクリック

2 [取り込み中] を クリック

プレゼンスの一覧が 表示された

3 [状態のリセット] を クリック

プレゼンスがリセット された

第**3**章

オンライン会議と
通話

ビジネスで需要が高まるリモート会議を実現

円滑なコミュニケーションを実現するには、オンライン会議や音声通話の活用が欠かせません。会議の開催や参加方法など、基本的な使い方を紹介します。

041 Outlookから会議を予約する

組織

Teamsのオンライン会議の予定はOutlookからも作成でき、参加者に周知できます。会議のタイトルや必須出席者、開始・終了時刻を設定しましょう。参加者には会議のURLがメールで届きます。

① 会議の予約画面を表示する

| Outlookの予定表を表示しておく | **1** [新しいTeams会議] をクリック |

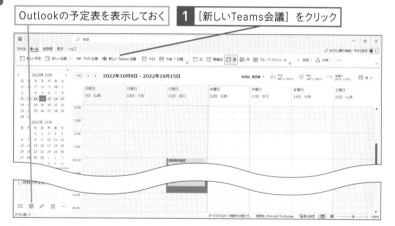

② 会議の設定をする

| 会議の予約画面が表示された | **1** 会議のタイトルを入力 |

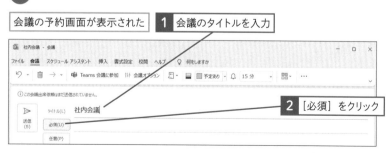

2 [必須] をクリック

❸ 必須出席者を登録する

出席者の選択画面が表示された	参加者の名前が表示されない場合はここから検索する	**1** 参加者の名前をダブルクリック

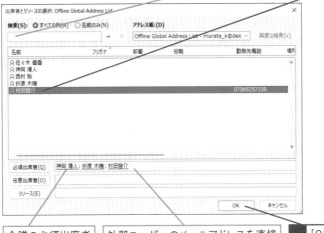

特徴・基本操作

メッセージとチャット

オンライン会議と通話

ファイルの共有

モバイルアプリ

チームの管理

機能の拡張

活用アイデア

会議の必須出席者が登録された	外部ユーザーのメールアドレスを直接入力しても会議に招待できる	**2** [OK]をクリック

❹ スケジュールアシスタントを開く

会議の予約画面に戻った	**1** [スケジュールアシスタント]タブをクリック

🗓 社内会議 - 会議

ファイル　**会議**　スケジュール アシスタント　挿入　書式設定　校閲　ヘルプ　🔎 何をしますか

🔄　🗑　→　▾　　📹 Teams 会議に参加　🖊 会議オプション　🗓 ▾　🖥 📗予定あり ▾　🔔 15 分　▾　🔳 ▾　…

ⓘ この会議出席依頼はまだ送信されていません。

➤ 送信(S)	タイトル(L)	社内会議			
	必須(U)	神岡 博人; 折原 木穂; 村田啓介			
	任意(P)				
	開始時刻(T)	2022/10/13 (木) 📅	14:00 ▾	□ 終日(Y)　□ 🌐 タイム ゾーン(Z)	
	終了時刻(D)	2022/10/13 (木) 📅	15:00 ▾	⟳ 定期的な予定にする(A)	
	場所	Microsoft Teams 会議			🔍 会議室の検索(R)

次のページに続く

❺ 会議の日時を設定する

参加者全員の予定がない時間を探す	**1** 開始時刻に日付を入力	設定した日付の予定表が表示された

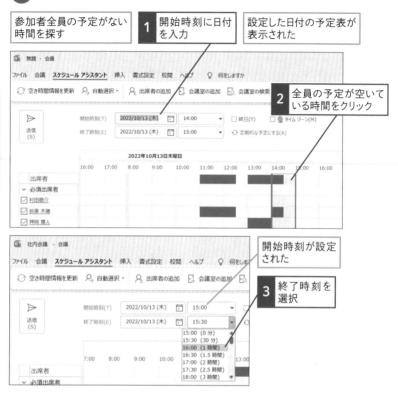

2 全員の予定が空いている時間をクリック

開始時刻が設定された

3 終了時刻を選択

❻ 会議の予約を送信する

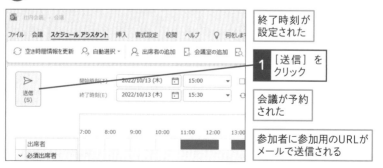

終了時刻が設定された

1 [送信] をクリック

会議が予約された

参加者に参加用のURLがメールで送信される

042 Teamsから 会議を予約する

組織

　Teamsのカレンダーで会議の予定を作成すると、任意のチームのチャネルに会議を紐付けできます。チャネルに紐付けた会議は、会議中のチャットや録画ファイルなどもすべてチャネルに保存されます。

　チームに会議用のチャネルをあらかじめ作成し、会議の情報を集約するのもおすすめです。なお、Outlookの予定表とTeamsのカレンダーは連携しており、どちらからでも予定を登録できます。

1 [新しい会議] を表示する

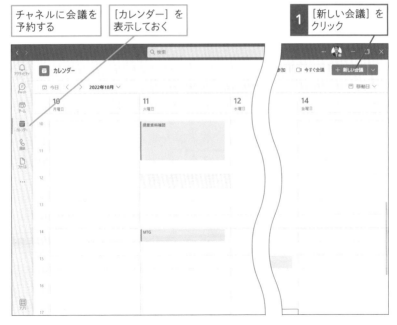

チャネルに会議を予約する

[カレンダー] を表示しておく

1 [新しい会議] をクリック

特徴・基本操作

メッセージとチャット

会議と通話 オンライン

ファイルの共有

モバイルアプリ

チームの管理

機能の拡張

活用アイデア

次のページに続く >

❷ 会議の情報を入力する

[新しい会議] 画面が表示された | 1 会議のタイトルを入力

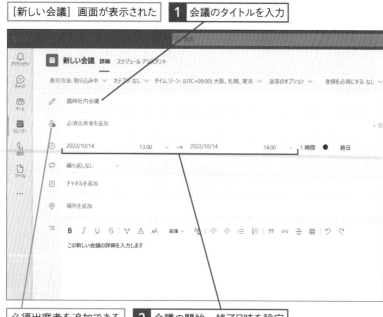

必須出席者を追加できる | 2 会議の開始・終了日時を設定

❸ チャネルを設定する

1 [チャネルを追加] を クリック | 2 チーム名を クリック

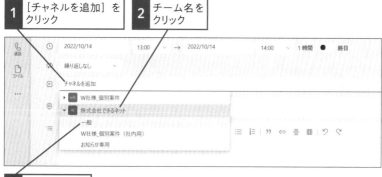

3 チャネル名を クリック

4 会議を予約する

チャネルが追加された

1 [送信] をクリック

5 予約を確認する

1 [チーム] をクリック　2 チャネル名をクリック

会議の予約の投稿を確認できた

ポイント

● 同じメンバーで定期的な会議を行う場合は、会議記録をチャネルにまとめることができます。

ショートカットキー

Ctrl + 4 ……………………… [カレンダー] (4番目のメニュー) を表示する

関連 138 グループ会議とチャネル会議の違い ………………………… P.258

043 外部ユーザーを 会議に招待する

組織

オンライン会議と通話

招待

　Teamsのオンライン会議には、社外の顧客やパートナーを招待すること
ができます。会議に参加するための招待URLを送るには、相手のメールア
ドレスを参加者として追加します。

1 [新しい会議] を表示する

[カレンダー] を表示しておく

1 [新しい会議] をクリック

アクティビティ	Q 検索	👤
チャット	📅 カレンダー	参加 □ 今すぐ会議 ＋ 新しい会議 ∨
チーム	🗓 今日 ＜ ＞ 2022年10月 ∨	🏢 稼働日 ∨
カレンダー	10 月曜日 / 11 火曜日 / 12 水曜日	14 金曜日
通話	11	
ファイル	12	
⋯	13	臨時社内会議 村田聡介
	14 　　MTG	
	15	
	16	
	17	
アプリ	18	

② 外部ユーザーを指定する

| 1 会議のタイトルを入力 | 2 招待する相手のメールアドレスを入力 |

| 候補が表示された | 3 [(相手のメールアドレス) を招待] をクリック |

③ 会議に招待する

| 外部ユーザーが追加された | ほかのユーザーも追加できる |

| 1 会議の開始・終了日時を設定 | 2 [送信] をクリック |

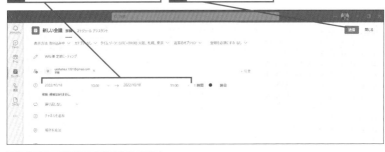

外部ユーザーのメールアドレスに
会議の招待が送信される

ポイント

● 社外の顧客やパートナーに送付した会議予定は、相手もOutlookを利用している場合、
自動的にOutlookのカレンダーに追加されます。
● Teamsのカレンダーに追加された会議予定は、日時変更も自動的に反映されます。

関連 041 Outlook から会議を予約する……………………………………P.90

044 招待された会議への出欠を登録する

組織

受け取った会議予定には、自分の出欠を登録できます。出欠の情報は会議の主催者や参加者に共有され、誰が出席する予定なのかがひと目で分かります。必ず登録しましょう。

オンライン会議と通話

予定の登録

❶ 会議の出欠を登録する

[カレンダー] を表示しておく

1 招待された会議をクリック

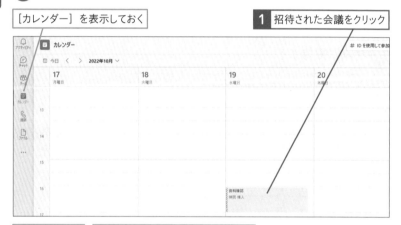

会議の情報が表示された

バージョンによっては会議の情報が吹き出しで表示される

会議への参加を承諾する

2 [出欠確認] をクリック

3 [承諾] をクリック

2 会議の出欠を登録できた

会議への参加を承諾した

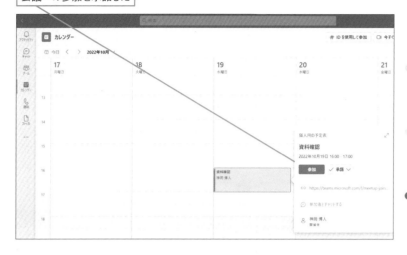

ポイント

- 招待はメールでも承諾ができます。
- OutlookやTeamsの出欠登録機能を利用し、開催候補日程をすべて登録した後で、会議に参加可能なメンバーが多い日付・時刻を最終的な開催日程として選ぶという方法があります。この方法は、日程の調整と予約の確保が同時に行えるため、より効率的です。
- 異なる組織であっても、相手がOutlookやGmailなど、Teamsの出欠登録機能に対応しているメールアプリを利用していれば、参加の承諾ができます。

関連 041 Outlook から会議を予約する……………………………………P.90
042 Teams から会議を予約する…………………………………………P.93
043 外部ユーザーを会議に招待する……………………………………P.96

特徴・基本操作

メッセージとチャット

オンライン会議と通話

ファイルの共有

モバイルアプリ

チームの管理

機能の拡張

活用アイデア

045 会議に参加する

組織

オンライン会議と通話

参加

　Teamsのカレンダーにある予定から、簡単に会議に参加できます。参加前にスピーカーやマイク、カメラの設定が可能です。マイクが動作しないなどの会議中のトラブルは、ほとんどが初めて使う場合に起こります。心配な場合は同僚と協力して事前に動作確認しましょう。

① 会議の待機画面を表示する

[カレンダー] を表示しておく | **1** 会議の予定をクリック

2 [参加] をクリック

❷ デバイスを設定して参加する

会議の待機画面が表示された

| **1** [デバイスの設定] をクリック | [デバイスの設定] が表示された | **2** スピーカーとマイク、カメラを選択 |

3 [今すぐ参加] をクリック

会議に参加した

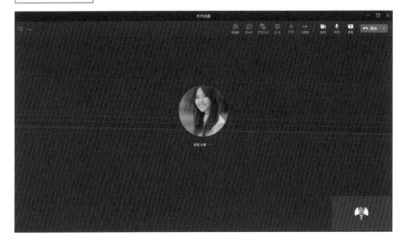

関連 102 会議に参加する（モバイルアプリ）……………………P.186

特徴・基本操作

メッセージとチャット

オンライン会議と通話

ファイルの共有

モバイルアプリ

チームの管理

機能の拡張

活用アイデア

046 会議IDとパスコードで 会議に参加する

組織

オンライン会議と通話

参加

オンライン会議のURLを知らない場合でも、会議IDとパスコードを使うことで会議に参加できます。メールなどを利用できず、口頭や紙を使い、会議URLを知らせる必要がある場面で活用できます。

1 会議IDとパスコードを確認する

会議の招待メールを表示しておく

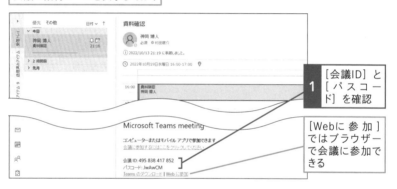

1 [会議ID] と [パスコード] を確認

[Webに参加] ではブラウザーで会議に参加できる

2 会議に参加する

[カレンダー] を表示しておく　　1 [#IDを使用して参加] をクリック

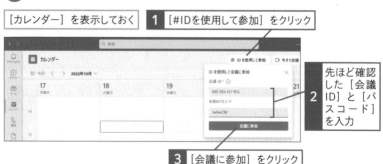

2 先ほど確認した [会議ID] と [パスコード] を入力

3 [会議に参加] をクリック

会議の待機画面が表示された	[デバイスの設定] からマイクやカメラを設定しておく	**4** [今すぐ参加] をクリック

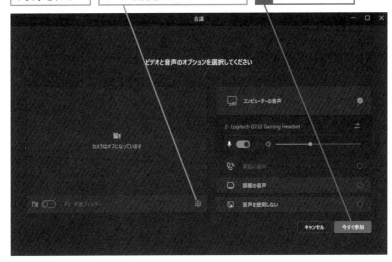

会議に参加した

特徴・基本操作

メッセージとチャット

オンライン会議と通話

ファイルの共有

モバイルアプリ

チームの管理

機能の拡張

活用アイデア

ポイント

● 会議参加者を制限するには、会議オプションから設定できるロビーを利用します。

● 既定の設定では、組織内のユーザーやチームに招待済みのゲストは会議にすぐ参加できますが、組織外のユーザーは会議参加時にロビーで待機します。

関連 137 スムーズな会議運営のための会議オプション ……………… P.256

047 外部ユーザーとして会議に参加する

組織

　自分が外部ユーザーとして招待された会議に参加するには、相手から送られた会議URLを利用します。会議に参加すると自分の表示名が相手に知らされます。相手が承認すると会議に参加できます。

1 メールから会議の待機画面を表示する

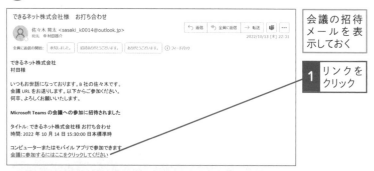

会議の招待メールを表示しておく

1 リンクをクリック

Teamsで会議の待機画面が表示された

2 [今すぐ参加]をクリック

2 相手の承認後に参加する

参加を待機していることが相手に通知された

1 相手の承認を待つ

会議に参加している人にあなたが待機していることを通知しました。

コンピューターの音声

2- Logitech G733 Gaming Headset

カメラはオフになっています

電話の音声

会議室の音声

音声を使用しない

待機背景フィルター

キャンセル

相手が参加を承認し、
会議に参加した

03:43

参加者　チャット　リアクション　その他　カメラ　マイク　共有　退出

佐晃

佐々木 晃太

特徴・基本操作

メッセージとチャット

オンライン会議と通話

ファイルの共有

モバイルアプリ

チームの管理

機能の拡張

活用アイデア

ポイント

● Teamsのデスクトップアプリをインストールしていない場合でも、Webブラウザーからオンライン会議に参加できます。

048 外部ユーザーの 会議参加を承認する

組織

　組織外のユーザーが会議に参加しようとすると、そのユーザーはいったんロビーで待機します。待機されると通知が表示されるので、会議に参加する予定のユーザーで間違いないかを確認しましょう。問題なければ、会議に参加済みのメンバーが承諾します。

会議に参加しておく　　　［ロビーで待機しています］と表示された

1 ［参加許可］をクリック

外部ユーザーが会議に参加した

ポイント

●組織外のユーザーが多く参加する会議で、その都度承諾するのが難しい場合は、会議オプションからロビーでの待機を無効化できます。

049 参加者の一覧を表示する

個人

　参加者の一覧から、会議に参加しているユーザーを確認できます。オンライン会議では発言者以外の顔が見えづらいため、誰が参加しているかを確認したいときに利用しましょう。

特徴・基本操作
メッセージとチャット
オンライン会議と通話
ファイルの共有
モバイルアプリ
チームの管理
機能の拡張
活用アイデア

会議に参加しておく　　　**1** ［参加者］をクリック

参加者の一覧が表示された

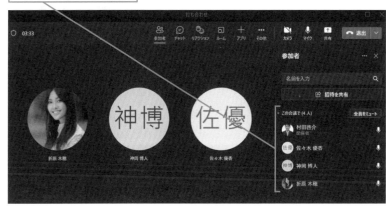

ポイント

- 会議の開催者や発表者は、参加者の一覧からほかの参加者のマイクをミュートにできます。
- ノイズなどの雑音が多い参加者がおり、本人が気づいていない場合は、会議の主催者などが代わりにミュートし、本人にも教えてあげましょう。

050 マイクのオン／オフを切り替える

組織

オンライン会議と通話

入力

オンライン会議中に発言するには、マイクをオンにしてから話します。会議に雑音が入るのを避けるため、周囲が騒がしい場所にいる場合などは、発言時以外はオフ（ミュート）しましょう。

| 会議中にマイクを切り替える |

1 ［マイク］をクリック

マイクがオフになった

［マイク］をクリックするとオンになる

〈ショートカットキー〉

Ctrl + Shift + M ……………………… マイクのオン／オフを切り替える

関連 052 マイクの感度を自動で調整する ……………………… P.110

051 カメラのオン／オフを切り替える

組織

　オンライン会議ではカメラをオンにすることで、自分の表情や周囲の状況を参加者に共有できます。リアクションが伝わることで、相手にとっても話しやすくなることがあります。

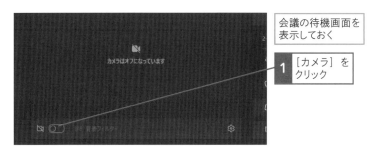

会議の待機画面を表示しておく

1 [カメラ] をクリック

カメラがオフになっています

カメラがオンになった

再び [カメラ] をクリックするとオフになる

ビデオと音声のオプションを選択してください

キャンセル　　今すぐ参加

＜ショートカットキー＞

[Ctrl] + [Shift] + [O] …………………… 会議中にカメラのオン／オフを切り替える

関連 053 カメラの明るさの自動調整と美肌補正をかける …………P.112

特徴・基本操作

メッセージとチャット

オンライン会議と通話

ファイルの共有

モバイルアプリ

チームの管理

機能の拡張

活用アイデア

052 マイクの感度を自動で調整する

個人

オンライン会議でマイクを使う場合、音量が小さく聞こえづらいことがあります。マイク感度の自動調整機能をオンにすると、自動的に音量を調整してくれます。一方で、オンライン会議用のマイクを利用する場合など、音量調整をデバイス側で行いたいときはオフにしておきます。

オンライン会議と通話

入力

❶ Teamsの設定画面を表示する

1 [その他のオプション] をクリック

2 [設定] をクリック

② マイクの感度を設定する

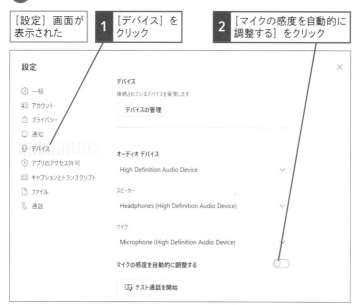

| [設定] 画面が表示された | **1** [デバイス] をクリック | **2** [マイクの感度を自動的に調整する] をクリック |

設定

- ⚙ 一般
- 🔳 アカウント
- 🔒 プライバシー
- 🔔 通知
- 🎧 デバイス
- 👤 アプリのアクセス許可
- 📋 キャプションとトランスクリプト
- 📄 ファイル
- 📞 通話

デバイス
接続されているデバイスを管理します

デバイスの管理

オーディオ デバイス
High Definition Audio Device

スピーカー
Headphones (High Definition Audio Device)

マイク
Microphone (High Definition Audio Device)

マイクの感度を自動的に調整する

📷 テスト通話を開始

| マイクの感度を自動的に調整するように設定された | [テスト通話を開始] をクリックすると、実際にマイクの感度が調整されているかを確認できる |

設定

- ⚙ 一般
- 🔳 アカウント
- 🔒 プライバシー
- 🔔 通知
- 🎧 デバイス
- 👤 アプリのアクセス許可
- 📋 キャプションとトランスクリプト
- 📄 ファイル
- 📞 通話

デバイス
接続されているデバイスを管理します

デバイスの管理

オーディオ デバイス
High Definition Audio Device

スピーカー
Headphones (High Definition Audio Device)

マイク
Microphone (High Definition Audio Device)

マイクの感度を自動的に調整する

📷 テスト通話を開始

特徴・基本操作

メッセージとチャット

オンライン会議と通話

ファイルの共有

モバイルアプリ

チームの管理

機能の拡張

活用アイデア

053 カメラの明るさの自動調整と美肌補正をかける

個人

部屋の照明環境の影響で、カメラに映る顔が暗く見えることがあります。明るさの調整を利用すると、顔にライトが当たったかのように明るく映ります。ソフトフォーカスは、肌に軽い美肌補正をかけ、綺麗に映せます。

1 Teamsの設定画面を表示する

1 [その他のオプション] をクリック

2 [設定] をクリック

② 明るさの自動調整と美肌補正を設定する

[設定] 画面が
表示された

1 [デバイス] を
クリック

設定 ✕

⚙ 一般
🔲 アカウント
🔒 プライバシー
🔔 通知
🎛 デバイス
🛡 アプリのアクセス許可
💬 キャプションとトランスクリプト
📄 ファイル
📞 通話

（正常でのアクセスを許可して、同様なのソフトを拡張します。……… … …………… ……

セカンダリ呼び出し

なし ⌄

カメラ

☐ カメラの制御を自動的に調整する

カメラ設定を開く ⓘ

HD Pro Webcam C920 ⌄

プレビュー

明るさの調整 ⓘ ◯

ソフト フォーカス ⓘ ◯

2 [明るさの調整] を
クリック

3 [ソフトフォーカス] を
クリック

明るさの自動調整と美肌補正が
設定された

プレビュー

明るさの調整 ⓘ ⬤

ソフト フォーカス ⓘ ⬤

特徴・基本操作

メッセージとチャット

オンライン会議と通話

ファイルの共有

モバイルアプリ

チームの管理

機能の拡張

活用アイデア

☑ 背景　　　　　　　　　　　　　　　　　　　　デスクトップ｜Web｜モバイル

054 背景として画像を利用する

組織

オンライン会議に自宅から参加する場合など、カメラに映る自分の背景の様子が気になってしまうことがあるでしょう。カメラの背景に好きな画像を合成し、見られたくないものを隠して会議に集中できます。

1 背景画像を追加する

会議の待機画面から背景を設定する

カメラをオンにしておく

1 [背景フィルター] をクリック

[背景の設定] が表示された

2 [新規追加] をクリック

あらかじめ用意された背景も利用できる

オンライン会議と通話

背景

114 ｜ できる

2 背景画像を選択する

[開く] ダイアログボックスが 表示された	**1** 画像を クリック	**2** [開く] を クリック

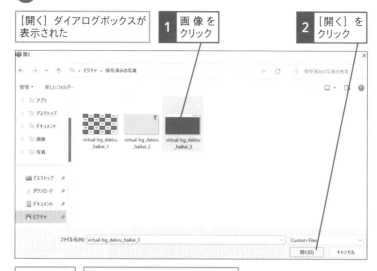

背景が設定 された	[背景フィルター] を再度クリック すると背景を変更できる

特徴・
基本操作

メッセージ
とチャット

オンライン
会議と通話

ファイルの
共有

モバイル
アプリ

チームの
管理

機能の
拡張

活用
アイデア

ポイント

- 自分のプレビューは鏡像となるため、背景画像は左右が反転して見えますが、相手に
は正しく表示されます。
- バージョンによっては、ダイアログボックスから画像を追加した後に、背景を選択す
る画面に戻ります。
- 背景に画像を合成するのではなく、実際の背景をぼかすこともできます。

055 画面を共有する

組織

オンライン会議では、自分の画面をほかの参加者と共有できます。複数の資料を切り替えながら説明するときは、デスクトップ全体を共有するとよいでしょう。ただし、デスクトップ全体を共有しているときは、自分のパソコンで操作している内容がすべて参加者に共有されるため、注意が必要です。

共有

会議に参加しておく	**1** [共有] をクリック

[コンテンツを共有] が表示された

2 [画面] をクリック

デスクトップが共有された	デスクトップの画面全体が相手にそのまま表示される	[共有を停止] をクリックすると画面の共有を終了できる

056 特定のウィンドウを共有する

組織

　デスクトップ上にあるウィンドウを個別に共有できます。ウィンドウ以外の部分は相手には見えないため、社外秘の資料など、見られては困る情報が不用意に映りこんでしまうのを防げます。

① 共有するウィンドウを選択する

会議に参加しておく　　　**1** ［共有］をクリック

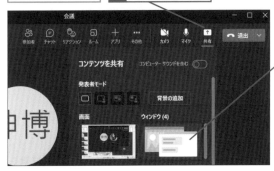

［コンテンツを共有］が表示された

2 ［ウィンドウ］をクリック

開いているウィンドウの一覧が表示された

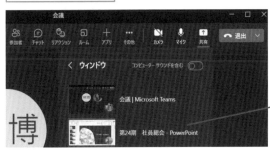

3 共有したいウィンドウをクリック

特徴・基本操作
メッセージとチャット
オンライン会議と通話
ファイルの共有
モバイルアプリ
チームの管理
機能の拡張
活用アイデア

次のページに続く ▷

②特定のウィンドウを共有できた

ウィンドウが共有された

共有中のウィンドウに別の画面が重なっていても、相手には表示されない

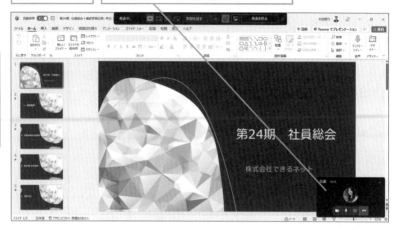

ポイント

●開いているウィンドウが多い場合は、共有前にデスクトップ上で目的のウィンドウをクリックしておくと、共有時に探しやすくなります。

●オンライン会議の失敗で多いのは、見られては困る情報を画面共有してしまうことです。会議に参加する前に、デスクトップ上のアイコンや開いているウィンドウの整理をしておきましょう。

●Windowsの場合、デスクトップを右クリックして[表示]→[デスクトップアイコンの表示]のチェックを外すと、すべてのアイコンを一時的に非表示にできます。

●パソコンにサブディスプレイを接続しておくと、デスクトップ共有時にはサブディスプレイだけを共有できます。

057 画面共有時に音声も共有する

組織

　画面共有で再生した動画をほかの参加者に見せる場合などは、パソコンで鳴っている音も共有できます。パソコン上の音がすべて共有されるため、通知音などが入らないように注意しましょう。

特徴・基本操作

メッセージとチャット

オンライン会議と通話

ファイルの共有

モバイルアプリ

チームの管理

機能の拡張

活用アイデア

[コンテンツを共有] を表示しておく　　　特定のウィンドウを音声も含めて共有する

1 [コンピューターサウンドを含む] をクリック

2 音声も含めて相手に共有したいウィンドウをクリック

ウィンドウが音声付きで共有された　　　[コンピューターサウンドを含む] をクリックすると、画面共有後でも音声のオン／オフを切り替えられる

ポイント

● 音声を含む共有は[画面]または[ウィンドウ]を選択した場合に利用できます。

058 ホワイトボードを 共有する

組織

オンライン会議と通話

共有

　会議中に図を描いて説明するには、ホワイトボードを利用しましょう。ア イデアを整理するときなど、付箋紙のようなメモとしての利用にも便利で す。また、会議の参加者が同時に書き込みできます。

1 ホワイトボードを開く

会議に参加 しておく

[コンテンツを共有] を表示しておく

1　[Microsoft Whiteboard] をクリック

2 ホワイトボードを共有する

ホワイトボードの共有画面が表示された　　1　[新しいホワイトボード] をクリック

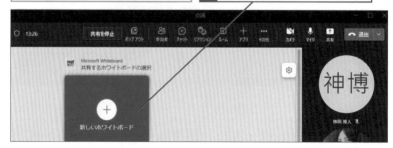

③ ペンを選択する

ホワイトボードが表示された

参加者が表示される

1 [黒のペン]をクリック

④ ホワイトボードに記入する

1 マウスをドラッグ、またはデジタルペンでなぞって文字を書く

ホワイトボードに手書きの文字が記入された

ほかの参加者と同時に記入できる

[メモ] や [図形] [テキスト] なども追加できる

メッセージとチャット

オンライン会議と通話

ファイルの共有

モバイルアプリ

チームの管理

機能の拡張

活用アイデア

ポイント

● 会議が終わってからホワイトボードの内容をもう一度確認したい場合は、Microsoft 365のWhiteboardアプリにアクセスします。

▼ Whiteboardアプリ

https://whiteboard.office.com/

059 カメラでホワイトボードを共有する

組織

実際の会議室に集まるミーティングでは、設置されたホワイトボードを利用する機会も多くあります。オンラインからも参加者がいる場合には、Webカメラでホワイトボードを映すことで、Teams越しでも見やすく共有できます。

オンライン会議と通話　共有

1 [カメラからのコンテンツ] を開く

| 会議に参加しておく | [コンテンツを共有] を表示しておく |

| 1 [カメラからのコンテンツ] をクリック |

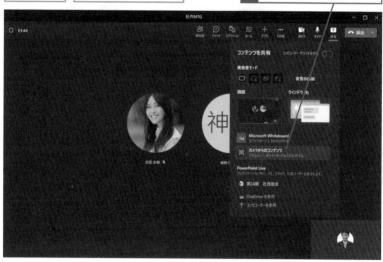

[カメラからのコンテンツ] の
選択肢が表示された

2 [ホワイトボード] を
クリック

2 カメラをオンにする

[カメラからのコンテンツ]
が表示された

1 [OK] を
クリック

特徴・
基本操作

メッセージ
とチャット

オンライン
会議と通話

ファイルの
共有

モバイル
アプリ

チームの
管理

機能の
拡張

活用
アイデア

次のページに続く

❸ ホワイトボードを映して共有する

カメラがオンになった

[カメラ] をクリックしてデバイスを変更できる

[コンテンツの種類] をクリックして、共有するコンテンツを変更できる

| 1 | カメラをホワイトボードに向ける |

ホワイトボードが認識されない場合は [もう一度スキャンする] をクリックする

| 2 | [共有] をクリック |

ホワイトボードが共有された　　[共有を停止] をクリックすると終了できる

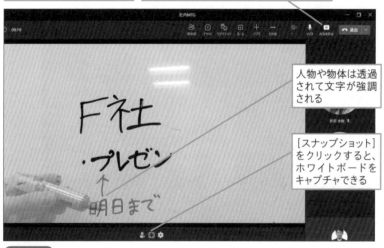

人物や物体は透過されて文字が強調される

[スナップショット] をクリックすると、ホワイトボードをキャプチャできる

ポイント

● ノートパソコン内蔵のインカメラが使いにくい場合は、USB接続のWebカメラを利用しましょう。

● ホワイトボードに書いた文字が正しく共有されない場合は、ペンの色を濃くするか、ホワイトボードに映る照明などの反射を抑えましょう。

060 共有画面を別ウィンドウで表示する

個人

ほかの参加者から共有されている画面を別ウィンドウで表示できます。自分が見やすいように画面に配置することも可能です。ウィンドウは F11 キーで全画面表示に切り替えられます。

会議に参加しておく	相手が画面共有を開始している	1 ［ポップアウト］をクリック

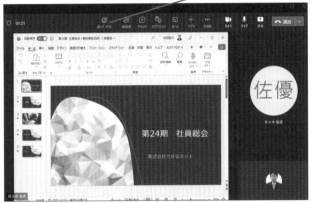

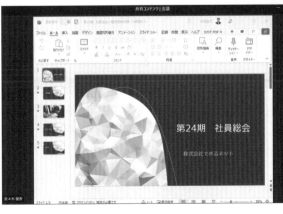

共有画面が別ウィンドウで表示された

ウィンドウを閉じると、元の共有画面に戻る

特徴・基本操作

メッセージとチャット

オンライン会議と通話

ファイルの共有

モバイルアプリ

チームの管理

機能の拡張

活用アイデア

061 ほかの人の画面を操作する

組織

オンライン会議で共有された画面は、ほかの参加者が遠隔操作できます。マウスやキーボードを使ってページ送りをしたり、文字の入力が可能です。共同編集や操作を教えあう場面などで便利です。

1 相手の画面を操作する

| 相手が画面を共有している | 1 [制御を要求] をクリック |

制御を要求しますか?
発表者が共有しているコンテンツを制御します。

[制御を要求しますか?] が表示された

キャンセル　リクエスト

2 [リクエスト] をクリック

| 相手がコントロールを許可した | 相手の画面に自分のマウスポインターが表示された | 相手が開いているファイルを直接編集できる |

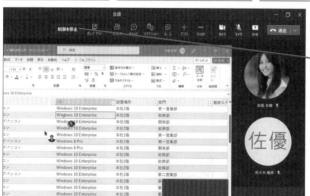

3 [制御を停止] をクリック

画面の操作が終了する

② 相手からの画面の操作を許可する

自分が画面を 共有している	相手がコントロールを 要求した	**1** [許可] を クリック

相手のマウスポインターが表示され、 相手からの操作が可能になった	[共有を停止] をクリックすると 画面の共有を停止できる

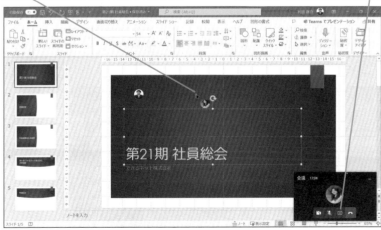

ポイント

● プレゼンテーションとして画面が共有された場合は、モバイルアプリからスライドを操作できます。

特徴・基本操作

メッセージとチャット

オンライン会議と通話

ファイルの共有

モバイルアプリ

チームの管理

機能の拡張

活用アイデア

062 Togetherモードを利用する

組織

　会議室や講義室のような背景に参加者全員を配置し、同じ部屋にいるように表示ができます。参加者同士の一体感を感じられ、リラックスしたコミュニケーションをとる場合などの利用におすすめです。

1 Togetherモードをオンにする

| 会議に参加しておく | カメラをオンにしておく |

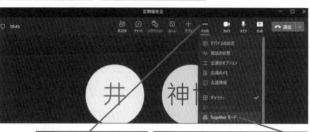

| **1** [その他] をクリック | **2** [Togetherモード] をクリック |

2 シーンを変更する

Togetherモードに切り替わった

1 [シーンの変更] をクリック

[シーンを選択する]
が表示された

2 シーンを
クリック

3 [適用]を
クリック

シーンが変更
された

[その他] → [Togetherモードをオフにする]
をクリックすると終了できる

特徴・
基本操作

メッセージ
とチャット

オンライン
会議と通話

ファイルの
共有

モバイル
アプリ

チームの
管理

機能の
拡張

活用
アイデア

ポイント

● Togetherモードはオンにした参加者のみに表示されます。
● バージョンによっては、Togetherモードを起動すると、最初にシーンの選択が表示される場合があります。

063 参加者にスポットライトを当てる

組織

　会議の司会者や発表者などに注目を集めるには、スポットライト機能を利用しましょう。スポットライトを設定したユーザーは、ほかの参加者に大きく表示されます。最大7人まで設定できます。

| 会議に参加しておく | **1** スポットライトを設定したい人の画面を右クリック |

2 [全員にスポットライトを設定]をクリック

| 確認画面が表示された |

3 [全員にスポットライトを設定]をクリック

| 全員にスポットライトを設定しますか？ |
| 会議の全員にこのビデオをハイライトします。 |
| キャンセル　全員にスポットライトを設定 |

参加者にスポットライトが設定された

再度右クリックして[スポットライトを終了する]を選択すると解除できる

064 カメラをピン留めする

個人

注目したい参加者をピン留めすると、相手の映像を大きく表示できます。スポットライトとは異なり、自分の画面だけで表示が大きくなります。自身のカメラ映りを確認したい場合にも利用できます。

| 会議に参加しておく |

1 ピン留めしたい人の画面を右クリック

2 [自分用にピン留めする] をクリック

| 選択した人がピン留めされ、常にハイライト表示された | | 再度右クリックして [固定表示を解除] を選択すると解除できる |

特徴・基本操作

メッセージとチャット

オンライン会議と通話

ファイルの共有

モバイルアプリ

チームの管理

機能の拡張

活用アイデア

065 会議でリアクションする

組織

オンライン会議と通話

反応／チャット

　オンライン会議は、参加者同士の反応が分かりにくいのが難点です。リアクションの機能を利用し、積極的に反応を示して会議を盛り上げましょう。発言前に挙手し、意思を示すこともできます。

会議に参加しておく

1 ［リアクション］をクリック

2 ［手を挙げる］をクリック

手を挙げた

［参加者］をクリックすると、手を挙げている人を確認できる

［手を下ろす］をクリックすると元に戻る

折原 木穂 恵　　　　　神岡 博人　　　　　佐々木 優香

066 会議中にチャットをする

組織

オンライン会議中でも、チャットを利用してほかの参加者とコミュニケーションがとれます。発表者に対する質問や補足情報、URL、ファイルなどを気軽に共有できます。

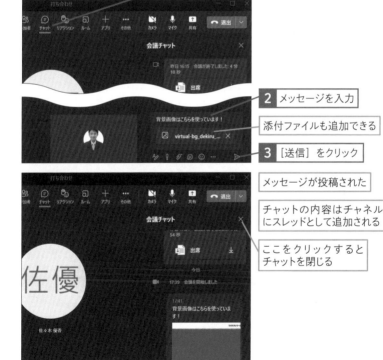

会議に参加しておく

1 [チャット] をクリック

会議チャット

昨日 16:15 会議が終了しました 4 分
10 秒

出席

2 メッセージを入力

背景画像はこちらを使っています！

添付ファイルも追加できる

virtual-bg_dekiru_... ×

3 [送信] をクリック

メッセージが投稿された

会議チャット

54 秒

出席

チャットの内容はチャネルにスレッドとして追加される

ここをクリックするとチャットを閉じる

今日

17:39 会議を開始しました

1/41
背景画像はこちらを使っています！

佐々木 優香

ポイント

● 会議中のチャットでも、「@」を入力してメンションできます。

特徴・基本操作

メッセージとチャット

オンライン会議と通話

ファイルの共有

モバイルアプリ

チームの管理

機能の拡張

活用アイデア

067 議事録を作成する

組織

オンライン会議と通話

議事録

　会議中の議事録はメモ機能を利用して作成します。決定事項やタスクを集約するようにしましょう。また、メンションもできるため、議事録を確認してほしい人に通知を送ることもできます。

1 [会議のメモ]を表示する

| 会議に参加しておく | 1 [その他]をクリック | 2 [会議のメモ]をクリック |

| [会議のメモ]が表示された | 3 [メモを取る]をクリック |

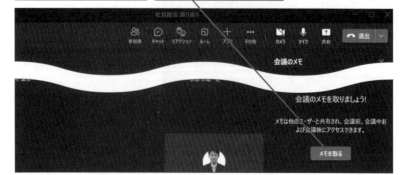

② 最初のメモを入力する

┌─────────────────────────┐ ┌─────────────────┐
│ 1 ここをクリックしてセク │ │ 2 ここをクリックして │
│   ションのタイトルを入力 │ │   見出しを入力   │
└─────────────────────────┘ └─────────────────┘

┌─────────────────┐
│   メモの下側を   │
│ 3 クリックして   │
│   内容を入力   │
└─────────────────┘

③ セクションを追加する

┌─────────────────┐ ┌─────────────┐ ┌─────────────────────┐
│ 入力内容が確定した │ │ 1 ここをクリック │ │ セクションが追加された │
└─────────────────┘ └─────────────┘ └─────────────────────┘

┌───────────────────────────┐
│ メモはチャネルのタブに追加される │
└───────────────────────────┘

ポイント

● バージョンによっては、会議ウィンドウで表示されます。

関連 137 スムーズな会議運営のための会議オプション‥‥‥‥‥‥ P.256

右側の見出し（縦書き）:
特徴・基本操作
メッセージとチャット
オンライン会議と通話
ファイルの共有
モバイルアプリ
チームの管理
機能の拡張
活用アイデア

068 トランスクリプションを 有効にする

組織

　トランスクリプションとは文字起こしのことで、オンライン会議での参加者の発言を自動的にテキストとして記録できます。会議中でも表示できるほか、終了後にはファイルのダウンロードも可能です。発言者ごとにタイムライン形式で文字起こしされるため、後で見返す際にも便利です。

1 トランスクリプションを開始する

会議に参加しておく	[その他] タブを表示しておく

1 [トランスクリプションの開始] をクリック

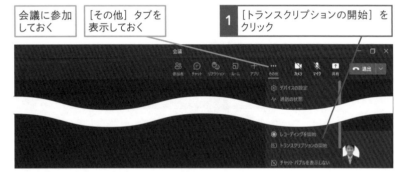

2 文字起こしをする言語を選択する

[みんなが話している言語は何ですか?] が表示された	ここでは [日本語（日本）] に設定する

みんなが話している言語は何ですか?
字幕とトランスクリプトは、会議の出席者すべてに対してこの言語で表示されます。

音声言語

日本語（日本）

☐ 今後の会議用に保存

キャンセル　確認

1 [日本語（日本）] を選択

2 [確認] をクリック

③ トランスクリプションが開始された

発言内容が表示された

特徴・基本操作

メッセージとチャット

オンライン会議と通話

ファイルの共有

モバイルアプリ

チームの管理

機能の拡張

活用アイデア

④ トランスクリプションを終了する

[その他] タブを表示しておく

1 [トランスクリプションの停止] をクリック

トランスクリプションが停止される

⑤ トランスクリプトをダウンロードする

[カレンダー] で先ほどの会議を表示しておく

[レコーディングと文字起こし] タブを表示しておく

1 [ダウンロード] の [▼] をクリック

2 ファイル形式を選択

文字起こししたファイルがダウンロードされる

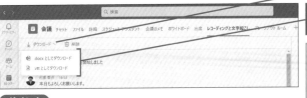

ポイント

● 会議中にトランスクリプトの表示を有効にするには、参加者それぞれがトランスクリプションを表示する必要があります。

● 契約しているMicrosoft 365のプランによっては、トランスクリプションが利用できない場合があります。

● 保存されたトランスクリプトはWeb版Teamsでもダウンロードできます。

069 ライブキャプションを表示する

組織

　ライブキャプションとは、会議での発言内容を画面下側にリアルタイムで字幕として表示する機能です。音が聞き取りづらい環境で参加する場合でも、議論の内容を文字で確認できます。トランスクリプションと違い、ライブキャプションは記録されません。

会議に参加しておく

1　[その他] をクリック

2　[ライブキャプションをオンにする] をクリック

ライブキャプションが表示された

070 会議を終了する

組織

Teamsのオンライン会議は、参加者全員が退出するまで終了しません。参加者が会議に残り、いつまでも話を続けてしまわないように、主催者は強制的に会議を終了できます。

会議に参加しておく

1 [退出]の[▼]をクリック

2 [会議を終了]をクリック

[会議を終了しますか?]が表示された

3 [終了]をクリック

会議が終了する

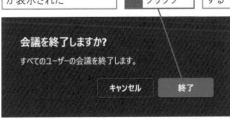

会議を終了しますか?

すべてのユーザーの会議を終了します。

キャンセル　　終了

特徴・基本操作

メッセージとチャット

オンライン会議と通話

ファイルの共有

モバイルアプリ

チームの管理

機能の拡張

活用アイデア

071 会議を録画する

組織

オンライン会議と通話　録画

　会議内容を動画で記録できることがオンライン会議の大きなメリットです。会議に参加できない人や、途中退席した人が後から会議内容を確認できます。内容を見返したいときにも便利です。

1 録画を開始する

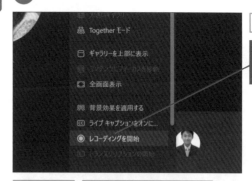

会議に参加しておく

1　[その他] → [レコーディングを開始] をクリック

録画が開始された | 会議を終了すると自動的に録画が停止する

神岡 博人 麦　　　折原 木穂 麦　　　田中 昌次 (ゲスト)

② 録画を停止する

会議の途中で録画を
停止する

1 [その他] → [レコー
ディングを停止] を
クリック

確認画面が表示された

レコーディングを停止しますか？

キャンセル　　停止

2 [停止] を
クリック

会議の録画が停止した

特徴・
基本操作

メッセージ
とチャット

オンライン
会議と通話

ファイルの
共有

モバイル
アプリ

チームの
管理

機能の
拡張

活用
アイデア

ポイント

● 機密情報を扱う場合など、会議の内容によっては録画に適さないことがあります。事
前に参加者の許可を得たうえで録画するようにしましょう。

072 会議を自動録画に設定する

組織

オンライン会議と通話

録画

　重要な会議などで録画が必須な場面では、Teamsでの録画を自動で開始する設定にしておくことで、録画忘れなどのミスを防げます。最初の参加者が会議に入室すると、録画が自動的に開始します。

> ［カレンダー］から自動録画したい会議の編集画面を表示しておく

> **1** ［その他のオプション］をクリック

> **2** ［会議のオプション］をクリック

> ブラウザーが起動し、会議のオプションが表示された

> **3** ［自動的にレコード］をクリック

> 会議の自動録画が有効になった

> オプションを設定した会議が開始されると、自動的に録画される

会議のオプション

ロビーを迂回するユーザー?	所属組織内のユーザーおよびゲスト
電話ユーザーによるロビーの迂回を常に許可する	いいえ
電話ユーザーが参加または退出したときに知らせる	はい
共同開催者を選択:	参加者を検索
発表者となるユーザー	全員
出席者のマイクを許可しますか?	はい
出席者のカメラを許可しますか?	はい
自動的にレコード	はい
会議のチャットを許可する	有効

073 録画した会議を視聴する

個人

　会議を録画すると、終了後に会議チャットに投稿されます。その投稿から録画の再生が可能です。トランスクリプションを記録していた場合には、動画を見ながら文字でも内容を確認できます。

会議をしたチャネルを表示しておく	**1** 会議の録画のサムネイルをクリック

ブラウザーが起動した	**2** [再生] をクリック	会議の録画が再生される

特徴・基本操作

メッセージとチャット

オンライン会議と通話

ファイルの共有

モバイルアプリ

チームの管理

機能の拡張

活用アイデア

074 予約なしですぐに 会議を開始する

組織

あらかじめカレンダーに登録していなかったときでも、思いついたときに素早く会議を開始できます。会議が立ち上がったら会議の参加者を追加しましょう。

① 会議を開始する

会議をするチャネルを表示しておく	**1** [会議]をクリック

会議の待機画面が表示された	ここをクリックすると会議名を入力できる	**2** [今すぐ参加]をクリック

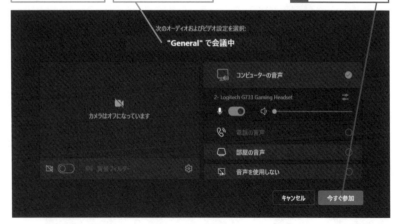

2 参加者を追加する

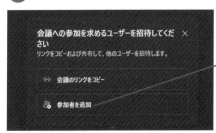

招待ウィンドウが
表示された

1 [参加者を追加]を
クリック

会議が開始された

参加者の一覧が
表示された状態に
なっている

メンバーの名前を
入力して招待する
こともできる

2 候補から[参加をリクエスト]をクリック

参加者が追加され、
[通話中]と表示された

相手の画面に会議への参加を求める通知が表示される

基本操作 特徴・

メッセージ とチャット

オンライン 会議と通話

ファイルの 共有

モバイル アプリ

チームの 管理

機能の 拡張

活用 アイデア

ポイント

● チャネルで開始された会議では、通知が自動的に投稿されるため、チームメンバーは
自由に会議に参加できます。

● Teamsのカレンダーからでもすぐに会議を開始できます。

075 連絡先（短縮ダイヤル）を追加する

個人

　Teamsではオンライン会議のほか、同僚と通話する機能が利用できます。よく連絡をとりあう相手がいるのであれば、短縮ダイヤルに追加しましょう。すぐに発信できるため、便利です。

1 連絡先の追加画面を表示する

[通話] を表示しておく	**1** [短縮ダイヤル] の [その他のオプション] をクリック

2 [このグループに連絡先を追加する] をクリック

2 名前を入力する

[連絡先に追加] が表示された

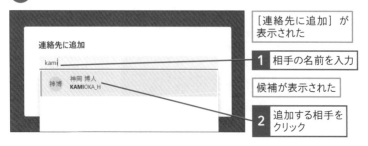

1 相手の名前を入力

候補が表示された

2 追加する相手をクリック

③ 連絡先に追加する

[連絡先に追加] が
表示された

1 [追加] を
クリック

④ 通話を発信する

[短縮ダイヤル] が追加された

1 [通話] をクリック

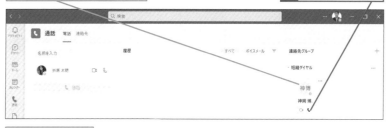

通話が発信された

特徴・
基本操作

メッセージ
とチャット

**オンライン
会議と通話**

ファイルの
共有

モバイル
アプリ

チームの
管理

機能の
拡張

活用
アイデア

〈ショートカットキー〉

Ctrl + 5 ································ [通話]（5番目のメニュー）を表示する

076 連絡先から発信する

組織

　連絡する機会がある相手を連絡先に登録できます。連絡先には、同じ社内の同僚や社外のTeamsユーザーを登録可能です。より頻繁に連絡をとる場合は、短縮ダイヤルに追加しましょう。

1 連絡先の追加画面を表示する

[通話] を表示
しておく

1 [連絡先] を
クリック

2 [連絡先を追加] を
クリック

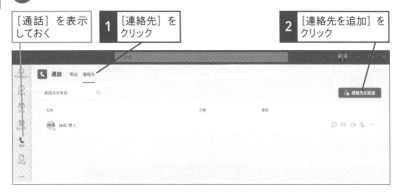

2 名前を入力する

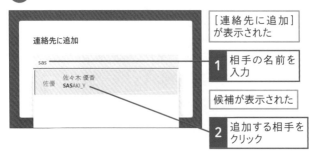

[連絡先に追加]
が表示された

1 相手の名前を
入力

候補が表示された

2 追加する相手を
クリック

❸ 連絡先に追加する

連絡先の名前とメール
アドレスが表示された

連絡先に追加

佐優　佐々木 優香
sasaki_Y@dekirunet04.onmicrosoft.com

1 [追加] を
クリック

❹ 通話を発信する

連絡先が追加された

1 [通話] をクリック

通話が発信された

ポイント

● 管理者の設定によっては、社外のTeamsユーザーとの直接のやりとりが禁止されていることもあります。

特徴・
基本操作

メッセージ
とチャット

オンライン
会議と通話

ファイルの
共有

モバイル
アプリ

チームの
管理

機能の
拡張

活用
アイデア

077　履歴から発信する

組織

発着信の履歴を確認でき、ここから通話をかけることも可能です。不在着信も記録されているため、出られなかった着信に折り返す場合にも便利です。

[通話]を表示
しておく

[履歴]に発着信の
履歴が表示される

1　[通話]を
　　クリック

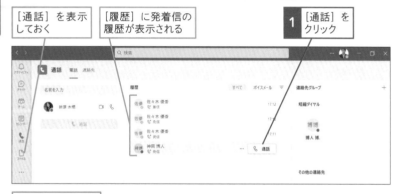

通話が発信された

第4章

ファイルの共有

ファイル共有とコラボレーション

ビジネスのやりとりでは、ファイル共有が欠かせません。
Teamsでのファイル共有方法のほか、メンバーと共同編集
しながら資料を作成する操作も紹介します。

078 ファイルを アップロードする

組織

ファイルの共有

アップロード

チームでは、チャネルごとにファイルをアップロードして共有できます。共有されたファイルは、チームのメンバーであれば誰でも閲覧・編集できます。共同編集するファイルの共有に便利です。

1 [ファイル] タブを表示する

チャネルを表示しておく		1 [ファイル] タブをクリック

2 [開く] ダイアログボックスを表示する

[ファイル] タブが表示された	これまでチャネルにアップロードされたファイルが表示されている	1 [アップロード] をクリック

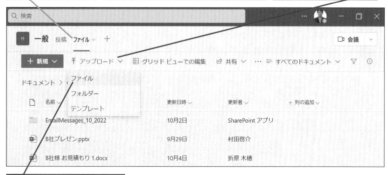

2 [ファイル] をクリック

❸ アップロードするファイルを選択する

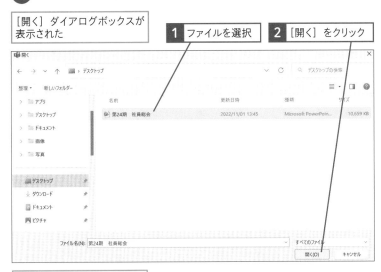

[開く] ダイアログボックスが表示された

1 ファイルを選択

2 [開く] をクリック

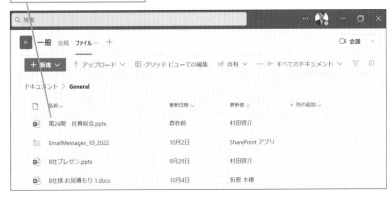

ファイルがアップロードされた

ポイント

● [ファイル]タブの一覧にファイルをドラッグしてもアップロードできます。

関連 **101** ファイルをアップロードする（モバイルアプリ）…………P.185

できる 153

079 ファイルのリンクを コピーする

個人

ファイルの共有   リンク／閲覧

　アップロードしたファイルは、誰かと共有するためのリンク（URL）を取得できます。また、リンク（URL）を取得するときには、権限設定で相手に許可する操作を制限できます。編集禁止やダウンロード禁止など、目的に応じて権限を設定しましょう。

1 ファイルにマウスポインターを合わせる	2 [アクションの表示]をクリック	3 [リンクをコピー]をクリック

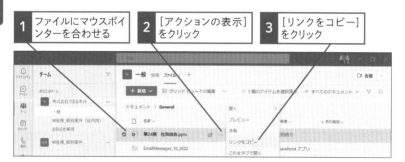

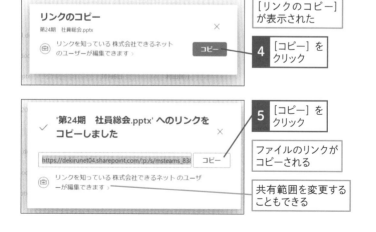

リンクのコピー
第24期　社員総会.pptx

リンクを知っている 株式会社できるネット
のユーザーが編集できます ＞

[コピー]

> [リンクのコピー]
> が表示された

> 4 [コピー]を
> クリック

✓ '第24期　社員総会.pptx' へのリンクを
コピーしました

https://dekirunet04.sharepoint.com/:p:/s/msteams_83... [コピー]

リンクを知っている 株式会社できるネット のユーザ
ーが編集できます ＞

> 5 [コピー]を
> クリック

> ファイルのリンクが
> コピーされる

> 共有範囲を変更する
> こともできる

080 Teams上で ファイルを開く

個人

アップロードされたファイルをダウンロードすることなく、Teams上で閲覧できます。Officeファイル以外にもPDFや画像など、さまざまな形式のファイルを表示できます。

チャネルの [ファイル] タブを表示しておく	**1** ファイル名をクリック

ドキュメント > **General**

📄 名前 ∨	更新日時 ∨	更新者 ∨	+ 列の追加 ∨
📁 EmailMessages_10_2022	10月2日	SharePoint アプリ	
📄 B社プレゼン.pptx	9月29日	村田啓介	
✓ 📄 B社様 お見積もり1.docx ↪ ⋯	約1分前	村田啓介	
📄 B社様 お見積もり.docx	9月29日	折原木穂	
📄 W社提案_202210.pptx	10月6日	村田啓介	

Teams上でファイルが表示された

081 デスクトップアプリで Officeファイルを開く

個人

ファイルの共有

閲覧

Officeファイルは Teamsでも開いて編集できますが、Word や Excel、PowerPoint といった Office のデスクトップアプリを利用したほうが効率よく作業できます。ファイルの開き方はいつでも自由に選択できます。

1 ファイルを選択する

チャネルの [ファイル] タブを表示しておく	**1** ファイル名を クリック

2 デスクトップアプリで開く

ファイルが 選択された	**1** [その他のオプション] をクリック	**2** [開く] を クリック	**3** [アプリで開く] をクリック

基特徴・基本操作

とチャット メッセージ

会議と通話 オンライン

共有 ファイルの

アプリ モバイル

管理 チームの

拡張 機能の

アイデア 活用

Officeのデスクトップ
アプリで開いた

ページ	ページビュー		ページ別ペ	平均ペ	直帰率	離脱率	ページの価値			
/article/13701/index.html		39481	38444	310.35	98.4%	92.3%	0.00			
/article/13331/index.html		30193	28490	114.32	45.4%	46.5%	0.00			
/article/5331/index.html		30491	28903	321.15	94.2%	86.7%	0.00			
/article/5411/index.html		50692	48030	429.06	56.0%	57.5%	0.00			
/article/90441/index.html		10595	9480	223.42	87.6%	60.4%	0.00			
/article/40441/index.html		30495	28340	303.21	53.4%	46.0%	0.00			
/article/18663/index.html		20394	18495	204.02	50.6%	43.2%	0.00			
/article/48623/index.html		12958	10023	193.14	78.5%	75.4%	0.00			
/article/67633/index.html		12395	12304	310.35	89.1%	84.3%	0.00			
/article/57438/index.html		20596	18402	310.31	98.1%	95.2%	0.00			
/article/4432/index.html		29482	25040	200.52	91.2%	90.1%	0.00			

常にデスクトップアプリで開くこともできる

デスクトップ版のTeamsアプリを利用すると、保存されたOfficeファイル
を常にOfficeのデスクトップアプリで開くように設定できます。Teamsの
設定画面で[ファイル]メニューを表示し、[ファイルを開く設定]から[デス
クトップアプリ]を選択します。ただし、利用しているMicrosoft 365のプ
ランによっては、この設定が適用できない場合があります。

[ファイルを開く設定]から
既定の設定を変更できる

082 ファイルを ダウンロードする

個人

　共有されたファイルをダウンロードしておけば、ファイルを自分のパソコンに保存できます。オフラインで利用したいファイルがある場合はダウンロードしましょう。

1 ファイルの [アクションの表示] をクリック	**2** [ダウンロード] をクリック	ファイルのダウンロードが開始される

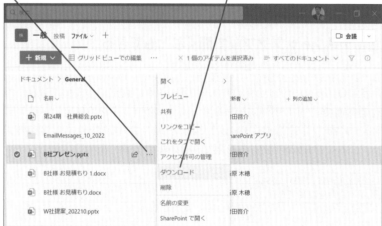

ポイント

● ダウンロードしたファイルは、既定では[ダウンロード]フォルダーに保存されます。
● Teamsの設定から任意の保存先フォルダーを指定できます。また、ダウンロードのたびに保存先を選択するように設定することもできます。

083 Officeファイルを共同編集する

組織

　共有されたOfficeファイルを複数人が同時に開くと、相手の操作を見ながら一緒に編集できます。PowerPointのスライドごとに担当者を決めて作成したり、Excelシートに入力しあったりできます。

1 ファイル名をクリック

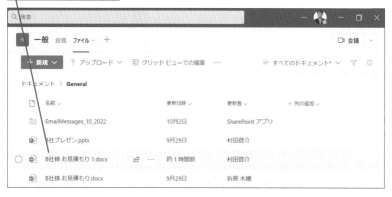

ファイルが表示された

ファイルにアクセスしている人が分かる

編集はリアルタイムに反映される

右端の見出し（縦書き）：
特徴・基本操作　／　メッセージとチャット　／　オンライン会議と通話　／　ファイルの共有　／　モバイルアプリ　／　チームの管理　／　機能の拡張　／　活用アイデア

084 チャネルのタブに ファイルを追加する

組織

ファイルの共有

共有／削除

　タブはチャネルの一等地です。チームのメンバーに見てほしいファイルや頻繁に参照するファイルは、チャネルのタブに追加しておくと閲覧・編集がしやすくなるので便利です。不要になったタブは、削除することも忘れないようにしましょう。

チャネルの [ファイル] タブを表示しておく	**1** [アクションの表示] をクリック	**2** [これをタブで開く] をクリック

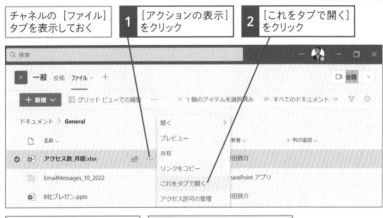

チャネルのタブにファイルが追加された	タブをクリックするとファイルを閲覧・編集できる

085 ファイルを削除する

組織

　不要になったファイルは削除しましょう。Teamsで削除されたファイル
は、チームに紐付いているSharePointサイトの「ごみ箱」に移動します。
削除から93日間は、削除済みのファイルをごみ箱から復元できます。

1 ファイルの [アクションの表示] をクリック　　**2** [削除] をクリック

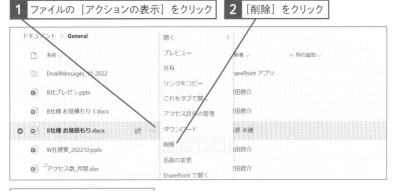

[削除しますか?] が表示された

3 [削除する] を
クリック

ファイルが削除される

ポイント

● 削除したファイルは、ほかのメンバーからも削除されます。

関連 096 SharePoint でファイルを参照する・・・・・・・・・・・・・・・・・・ P.178

特徴・基本操作

メッセージとチャット

オンライン会議と通話

ファイルの共有

モバイルアプリ

チームの管理

機能の拡張

活用アイデア

086 ファイルを固定する

組織

ファイルの共有

固定／編集

　Teamsにアップロードされたファイルが多いと、目的のファイルを一覧から探すのが大変です。よく利用されるファイルを［ファイル］タブの上部に固定すると、メンバーが見つけやすくなります。また、固定するファイルはフォルダーごとに指定できます。

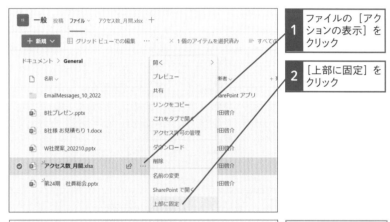

1 ファイルの［アクションの表示］をクリック

2 ［上部に固定］をクリック

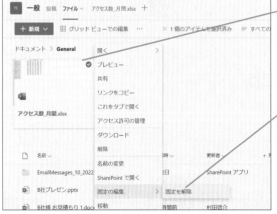

ファイルが［ファイル］タブの上部に固定された

固定されたファイルを右クリックし、［固定の編集］→［固定を解除］をクリックすると固定が解除される

087 ファイルの名前を変更する

組織

　共有するファイルは、ほかのメンバーが見ても分かりやすい名前であることを意識しましょう。Teamsにファイルをアップロードした後でも、ファイル名を変更できます。

1 ファイルの［アクションの表示］をクリック　　**2** ［名前の変更］をクリック

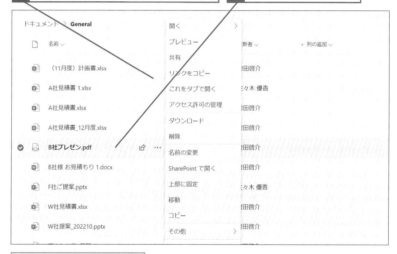

ドキュメント > General

□ 名前 ∨	開く >	新者 ∨	+ 列の追加 ∨
🔲 （11月度）計画書.xlsx	プレビュー	田啓介	
	共有		
🔲 A社見積書 1.xlsx	リンクをコピー	々木 優香	
🔲 A社見積書.xlsx	これをタブで開く	田啓介	
	アクセス許可の管理		
🔲 A社見積書_12月度.xlsx	ダウンロード	田啓介	
	削除		
⊘ 🔲 B社プレゼン.pdf　 ⧉ ⋯	名前の変更	田啓介	
🔲 B社様 お見積もり 1.docx	SharePoint で開く	田啓介	
🔲 F社ご提案.pptx	上部に固定	々木 優香	
🔲 W社見積書.xlsx	移動	田啓介	
	コピー		
🔲 W社提案_202210.pptx	その他 >	田啓介	

［名前の変更］が表示された

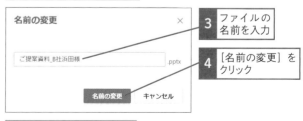

名前の変更　　　　　　　　　　　　　×

ご提案資料_B社浜田様　　　　　　　.pptx

名前の変更　　キャンセル

3 ファイルの名前を入力

4 ［名前の変更］をクリック

ファイルの名前が変更される

特徴・基本操作

メッセージとチャット

オンライン会議と通話

ファイルの共有

モバイルアプリ

チームの管理

機能の拡張

活用アイデア

088 ファイルを移動する

組織

チームで共有しているファイルを、ほかのチームやチャネル、フォルダーに移動できます。ダウンロードしてから再アップロードするよりも、簡単かつ素早くファイルを移動できます。

1 [移動先] ダイアログボックスを表示する

> **1** ファイルの [アクションの表示] をクリック

> **2** [移動] をクリック

桜 一般 投稿 **ファイル** ∨ アクセス数_月間.xlsx ＋		🗋 会議 ∨
＋ 新規 ∨　… 　✕ 1 個のアイテムを選択済み　⟳ 1 アイテムを移動しています　≡ すべてのドキュメント ∨　▽ ⓘ		

ドキュメント > **General**

🗋 名前 ∨			新者 ∨	列の追加 ∨

開く　　　　　　　　　　　＞

プレビュー

共有

リンクをコピー

これをタブで開く

アクセス許可の管理

ダウンロード

削除

名前の変更

SharePoint で開く

上部に固定

移動

コピー

- 📁 EmailMessages_10_2022　　　　　　　　　　　harePoint アプリ
- 📄 B社様 お見積もり 1.docx　　　　　　　　　　　田啓介
- 📄 W社提案_202210.pptx　　　　　　　　　　　　田啓介
- 📄 アクセス数_月間.xlsx
- 📄 ご提案資料_W社井上様.pptx　　⊡ …　　　　　田啓介
- 📄 第24期 社員総会.pptx　　　　　　　　　　　　田啓介

② 移動先を選択する

ほかのチャネル内のフォルダーに ファイルを移動する	**1** 移動先のチャネル をクリック	**2** 移動先のフォル ダーをクリック

移動先のフォルダーが 表示された	**3** [ここに移動] を クリック	ファイルが 移動する

関連 095 クラウドストレージと連携する……………………………………P.174

特徴・基本操作

メッセージとチャット

オンライン会議と通話

ファイルの共有

モバイルアプリ

チームの管理

機能の拡張

活用アイデア

089 ファイルをコピーする

個人

　元のファイルは残したまま、指定した場所にファイルをコピーできます。コピーしたファイルを元に別の資料を作成する場合や、ファイルを再利用したい場合などに便利です。移動やコピーは複数のファイルを選択し、まとめて行うこともできます。

ファイルの共有

コピー／同期

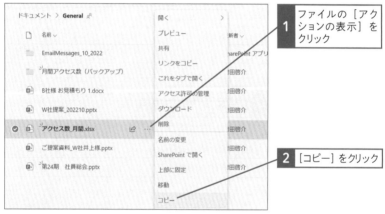

1 ファイルの [アクションの表示] をクリック

2 [コピー] をクリック

コピー先のフォルダーを表示しておく

3 [ここにコピー] をクリック

ファイルがコピーされる

090 ファイルを同期する

個人

チャネルの［ファイル］タブを同期すると、自分が使っているパソコンからTeamsで共有されているファイルにアクセスできます。フォルダーで整理したり、ファイルをコピーしたりするときにエクスプローラーで操作できるため便利です。

1 ［同期］をクリック

	エクスプローラーを表示しておく	ユーザーフォルダーと同期された

091 OneDriveへのショートカットを追加する

 組織

ファイルの共有

OneDrive／チェックアウト

OneDriveへのショートカットを追加しておくと、自分のOneDriveから直接フォルダーにアクセスできます。モバイル版のOneDriveアプリでも同様の動作でチャネルのファイルにアクセス可能です。

1 [その他のオプション]をクリック

2 [OneDriveへのショートカットの追加]をクリック

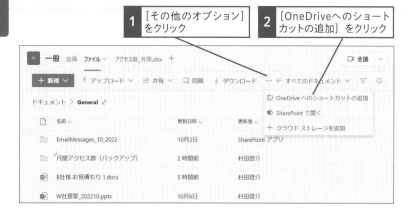

OneDriveにショートカットが追加された

ポイント

- OneDriveへのショートカットは、Teams内のフォルダーごとに作成できます。
- OneDriveのショートカットはモバイル版Teamsからは追加できません。

092 ファイルの編集を禁止／許可する

組織

　自分が編集し終わるまで、ほかのメンバーがファイルを編集できないようにする操作が「チェックアウト」です。編集後にチェックインすることで、ほかのユーザーに編集内容が共有されます。

1 ファイルの編集を禁止する

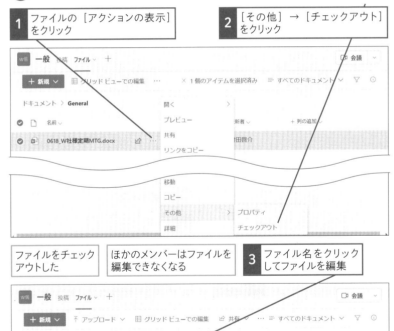

1 ファイルの [アクションの表示] をクリック

2 [その他] → [チェックアウト] をクリック

ファイルをチェックアウトした

ほかのメンバーはファイルを編集できなくなる

3 ファイル名をクリックしてファイルを編集

特徴・基本操作

メッセージとチャット

オンライン会議と通話

ファイルの共有

モバイルアプリ

チームの管理

機能の拡張

活用アイデア

次のページに続く

できる 169

② ファイルの編集を許可する

チェックアウト後に編集が終わった ファイルを操作する	**1** ファイルの [アクションの表示] をクリック

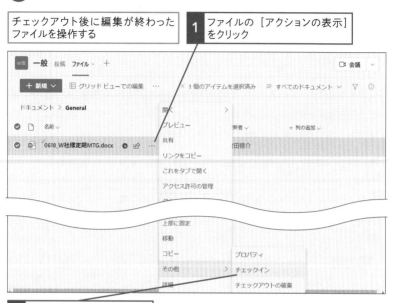

2 [その他] → [チェックイン]
をクリック

[（ファイル名）をチェックイン] が表示された

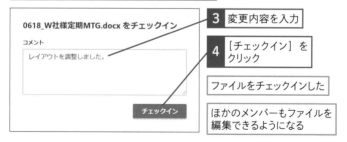

3 変更内容を入力

4 [チェックイン] を
クリック

ファイルをチェックインした

ほかのメンバーもファイルを
編集できるようになる

ポイント

- ほかのメンバーがチェックアウトしているファイルをクリックすると、チェックアウト
  前の状態のプレビューが表示されます。
- チェックアウト中のファイル名の右側に表示される矢印アイコンにマウスポインターを
  合わせると、チェックアウトしたメンバーを確認できます。

ファイルの共有 チェックアウト／共有

093 ファイルの誤編集を防ぐ

組織

TeamsでのOfficeファイルの編集は簡単ですが、意図せず編集されてしまうことがあります。Officeファイルを「読み取り専用」に設定することで、意図しない編集を防げます。メンバーは必要に応じて、編集モードに切り替えてファイルを編集しましょう。

| ここではExcelファイルを保護する | デスクトップアプリでファイルを開き、[ファイル] タブを表示しておく | **1** [情報] をクリック |

| **2** [ブックの保護] をクリック | **3** [常に読み取り専用で開く] をクリック | 読み取り専用として保護された |

ポイント

- 読み取り専用を解除するには、[ブックの保護]→[常に読み取り専用で開く]を再度クリックします。
- Wordファイルの場合は[文書の保護]、PowerPointファイルの場合は[プレゼンテーションの保護]から操作します。

特徴・基本操作

メッセージとチャット

オンライン会議と通話

ファイルの共有

モバイルアプリ

チームの管理

機能の拡張

活用アイデア

094 Officeファイルを新規作成する

組織

ファイルの共有

新規作成

　Web版のOfficeを利用して、Teams内でWordやExcel、PowerPointのファイルを新規作成できます。作成したファイルは、チームのチャネルで共有された状態になります。

① ファイルの種類を選択する

ファイルを追加したいチャネルを表示しておく	Excelファイルを作成する	1 [新規] をクリック

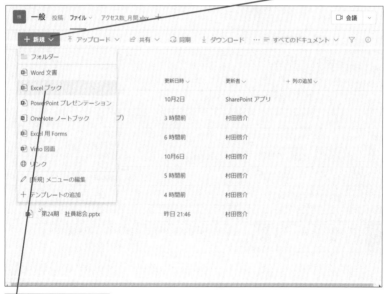

2 [Excelブック] をクリック

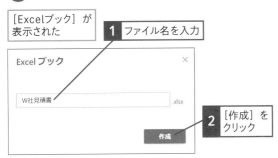

② ファイル名を入力する

[Excelブック] が
表示された

1 ファイル名を入力

Excel ブック　　　　　　　　　　✕

W社見積書　　　　　　　　　　　.xlsx

2 [作成] を
クリック

作成

③ ファイルを追加できた

新規ファイルが作成され、
Teams上で表示された

[閉じる] をクリックすると
編集を終了する

関連 081 デスクトップアプリで Office ファイルを開く …………… P.156

特徴・
基本操作

メッセージ
とチャット

オンライン
会議と通話

ファイルの
共有

モバイル
アプリ

チームの
管理

機能の
拡張

活用
アイデア

095 クラウドストレージと連携する

個人

ファイルの共有

クラウドストレージ

Microsoft以外のクラウドストレージを利用している場合でも、保存されているファイルにTeamsからアクセスできます。ファイルをチームのチャネルにコピーし、メンバーとも共有できます。

① クラウドストレージの種類を選択する

| [ファイル] を表示しておく | **1** [クラウドストレージを追加] をクリック |

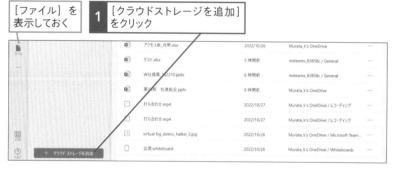

クラウド ストレージを追加

Teams で使用するクラウド ストレージ プロバイダーを選択します。

Dropbox
Dropbox を使用すると、チームは安全で使いやすい共同作業ツールと、高速で最も信頼性の高い同期プラットフォームを利用して、簡単に作業することができます。

box Box
Box は、チームや組織が最も重要な情報を簡単に共有、管理、共同作業できるように支援する、セキュリティで保護されたコンテンツ管理/コラボレーション プラットフォームです。

Egnyte
オンプレミスまたはクラウドに保存されたコンテンツを、どこでもいつでも、どのデバイスからも、安全にアクセス、編集します。

ShareFile
Citrix ShareFile を使用すると、簡単、安全、かつ確実にファイルのやり取りができます。

Google Drive
Google Drive を利用すれば、セキュリティで保護されたクラウド ストレージと写真、ビデオ、ファイル等のバックアップを通して、どこでもファイルにアクセスできます。

ここではGoogleドライブを追加する

2 [Google Drive] をクリック

② Googleアカウントへのアクセスを許可する

ログイン画面が
表示された

1 アカウントを入力し、
[次へ] をクリック

2 パスワードを入力し、
[ログイン] をクリック

アクセス許可の確認画面が
表示された

3 [許可] をクリック

③ コピーするファイルを表示する

Googleドライブ
が追加された

Googleドライブのファイルを
チャネルへコピーする

1 コピーするファイルがある
フォルダーをクリック

次のページに続く

特徴・
基本操作

メッセージ
とチャット

オンライン
会議と通話

**ファイルの
共有**

モバイル
アプリ

チームの
管理

機能の
拡張

活用
アイデア

④ ファイルをコピーするチームを表示する

| ファイルが表示された | **1** ファイルの [その他のオプション] をクリック | **2** [コピー] をクリック |

| [コピー先] が表示された | **3** [チームとチャネルを参照] をクリック | **4** チーム名をクリック |

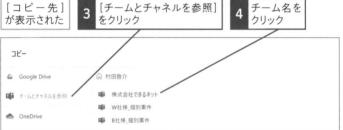

⑤ ファイルをコピーするチャネルを表示する

| チャネルの一覧が表示された | **1** チャネル名をクリック |

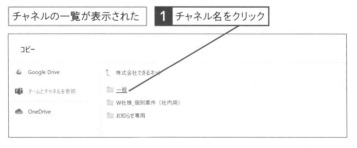

6 ファイルをコピーする

チャネルにアップロードされた ファイルの一覧が表示された	**1** [コピー] を クリック	ファイルがコピー される

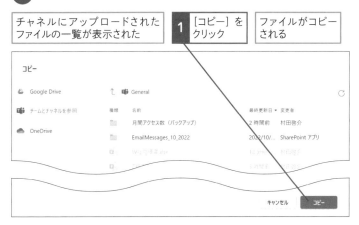

共有ストレージはチャネルと連携させると便利

クラウドストレージは、チャネルの[ファイル]タブにも追加できます。SharePointなど、社内のメンバー全員がアクセス可能なサービスの連携に便利です。その他のクラウドストレージでのアクセス権の管理は、外部サービス側で行う必要があります。

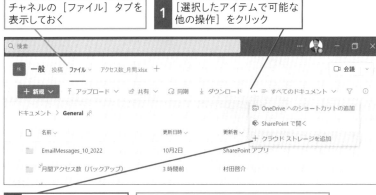

特徴・基本操作

メッセージとチャット

オンライン会議と通話

ファイルの共有

モバイルアプリ

チームの管理

機能の拡張

活用アイデア

096 SharePointで ファイルを参照する

個人

［ファイル］タブにあるファイルは、チームに紐付くSharePointサイトに保存されています。普段はその存在を意識する必要はありませんが、「ごみ箱」を利用する場合などにアクセスします。

ファイルの共有

SharePoint

［選択したアイテムで可能な他の操作］をクリック

1 ［SharePointで 開く］をクリック

ブラウザーでSharePointが開いた

ファイルを参照できる

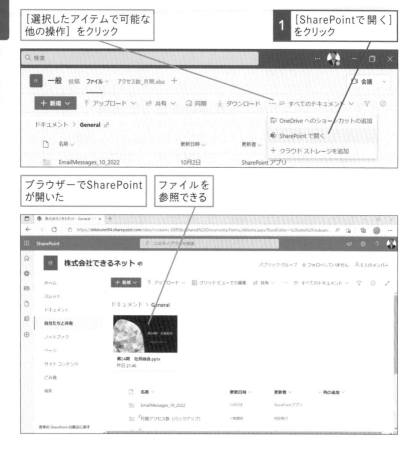

第**5**章

モバイルアプリ

いつでもどこでも素早くやりとりをチェック

Teamsのモバイルアプリを利用することで、外出先でもスマートフォンさえあれば、チャットや会議ができます。iPhone版を例に基本操作を紹介します。

097 モバイルアプリの 起動と初期設定

個人

モバイルアプリ

基本操作

　Teamsのモバイルアプリでは、離席しているときや外出時でも、チャットやオンライン会議を利用できます。いつでもどこでも気軽にコミュニケーションが行え、業務のスピードもアップします。

① サインイン画面を 表示する

モバイルアプリをインストールし、起動しておく

```
1  Teamsを利用するアカウントの
   メールアドレスを入力
```

```
2  [サインイン]
   をタップ
```

② パスワードを入力する

パスワードの入力画面が表示された

```
1  パスワードを
   入力
```

```
2  [サインイン] を
   タップ
```

③ 通知などを許可する

アプリによる通知の送信と
マイクの使用を許可する

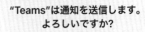

> **"Teams"は通知を送信します。
> よろしいですか?**
>
> 通知方法は、テキスト、サウンド、アイコ
> ンバッジが利用できる可能性があります。
> 通知方法は"設定"で設定できます。
>
> | 許可しない | 許可 |

1 [許可] を
タップ

2 [OK] を
タップ

> **"Teams"がマイクへのアクセス
> を求めています**
>
> 電話をかけて、音声メッセージを録音する
> ことができます。
>
> | 許可しない | OK |

④ 説明を確認する

説明画面が表示された

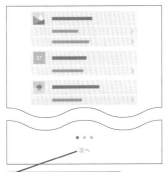

1 [次へ] を2回タップ

⑤ アプリの利用を開始する

説明が最後まで表示された

会議を開催し、音声、ビデオ、画面の共有を使っ
て通話します。

OK

1 [OK] をタップ

画面が切り替わり、[アクティ
ビティ] タブが表示された

特徴・
基本操作

メッセージ
とチャット

オンライン
会議と通話

ファイルの
共有

モバイル
アプリ

チームの
管理

機能の
拡張

活用
アイデア

098 チームやチャネルを表示する

個人

モバイルアプリでも、デスクトップアプリと同様にチームやチャネルを利用できます。ピン留めしたチャネルもデスクトップアプリと同期されるため、素早く情報を確認できます。

モバイルアプリ　基本操作／メッセージ

1 チームとチャネル名を表示する

1 [Teams] タブをタップ

2 チャネルを表示する

| チームとチャネルの一覧が表示された | **1** チャネル名の[一般]をタップ |

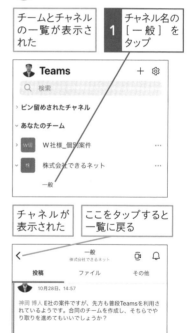

| チャネルが表示された | ここをタップすると一覧に戻る |

ポイント

● バージョンによっては、[Teams]タブは[チーム]タブと表示されています。

関連 **007 画面表示を切り替える（デスクトップアプリ）** …………… P.26

099 チャネルに投稿された メッセージを確認する

個人

モバイルアプリからメッセージを確認することで、移動中の空いた時間でも簡単に最新の情報を把握できます。返信のスレッドも確認でき、会話の経緯もひと目で分かります。

特徴・基本操作
メッセージとチャット
オンライン会議と通話
ファイルの共有
モバイルアプリ
チームの管理
機能の拡張
活用アイデア

1 メッセージ全体を 表示する

1 確認したいメッセージがある スレッドをスクロールして表示

2 スレッドをタップ

2 メッセージを表示できた

メッセージが表示された

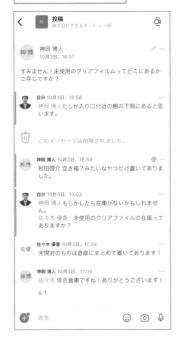

関連 018 省略された返信を表示する（デスクトップアプリ）…………P.49

100 メッセージを投稿する

組織

モバイルアプリ

メッセージ／ファイル

ひらめいたアイデアは、外出先でもすぐに投稿しましょう。モバイルアプリからチャネルに投稿や返信ができます。スマートフォンで撮影した写真を添付することも簡単です。

1 メッセージの入力欄を表示する

メッセージに返信する

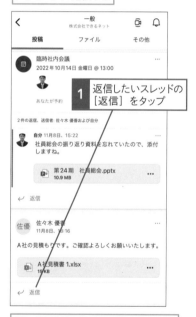

1 返信したいスレッドの[返信] をタップ

新しく投稿する場合は [新しい投稿]をタップする

2 メッセージを送信する

メッセージの入力欄が表示された

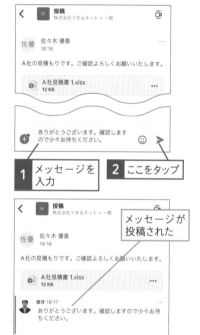

1 メッセージを入力

2 ここをタップ

メッセージが投稿された

関連 010 メッセージに返信する（デスクトップアプリ）……………P.34

101 ファイルをアップロードする

組織

　スマートフォンやタブレットに保存されたファイルや写真を、パソコンに転送することなくその場で共有できます。特にモバイル端末で撮影した写真を素早く共有できるのは、モバイルアプリならではのメリットのひとつといえるでしょう。

1 追加するファイルの種類を選択する

ファイルをアップロードしたいチャネルを表示しておく

1 [ファイル] をタップ

2 [追加] をタップ

ファイル名をタップするとファイルを表示できる

ここでは写真をアップロードする

3 [画像とビデオ] をタップ

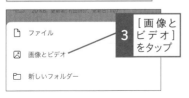

2 ファイルを選択する

初回は ["Teams"から"写真"にアクセスしようとしています] と表示される

1 [すべての写真へのアクセスを許可] をタップ

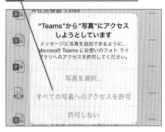

写真の一覧が表示された

2 追加する写真をタップ

写真がTeamsにアップロードされる

特徴・基本操作

メッセージとチャット

オンライン会議と通話

ファイルの共有

モバイルアプリ

チームの管理

機能の拡張

活用アイデア

102 会議に参加する

組織

モバイルアプリ

会議

　モバイルアプリからもオンライン会議に参加できます。外出先などでパソコンが使えない環境でも、会議に参加可能です。ほかの参加者のカメラや共有された資料が確認できるだけでなく、スマートフォンのカメラやマイクを利用して自分の映像や声を共有できます。周囲の様子を伝えたいときには、手持ちで撮影できるスマートフォンは便利です。

① [カレンダー] を表示する

カレンダーから会議に参加する

1 [カレンダー] タブをタップ

カレンダーが表示された

2 [参加] をタップ

② 会議に参加する

デバイスの設定画面が表示された

カメラやマイク、スピーカーの設定ができる

1 [今すぐ参加] をタップ

❸ 会議中にチャットをする

会議に参加した

1 [会議オプション] をタップ

ここをタップすると会議を退出する

会議オプションが表示された

2 [チャット] をタップ

❹ チャットを送信する

1 入力ボックスをタップし、メッセージを入力

2 [送信] をタップ

チャットが送信された

ここをタップすると会議に戻る

特徴・基本操作

メッセージとチャット

オンライン会議と通話

ファイルの共有

モバイルアプリ

チームの管理

機能の拡張

活用アイデア

ポイント

● バージョンによっては、[カレンダー]タブは[予定表]タブと表示されています。

関連 045 会議に参加する（デスクトップアプリ）............................P.100
　　 066 会議中にチャットする（デスクトップアプリ）................P.133

103 予約なしで会議を すぐに開始する

組織

モバイルアプリでも、すぐにオンライン会議を開始できます。突然の会議開催が必要なときのために、手順を覚えておきましょう。ただし、会議を開始するためのボタンが少し分かりづらいところにあるので注意してください。

モバイルアプリ　会議

1 会議を開始する

[カレンダー] タブを
表示しておく

1 [会議を開始する] を
タップ

2 会議に参加する

1 [今すぐ会議] を
タップ

📹 今すぐ会議

\# 会議 ID で参加する

デバイスの設定
を確認しておく

2 [今すぐ参加]
をタップ

③ 参加者を追加する

1 [参加者を追加] をタップ

[ユーザーを追加] が
表示された

2 参加者を入力　**3** [完了] をタップ

④ 会議を開始できた

会議に参加
した

ここをタップすると
会議を終了する

関連 **074** 予約なしですぐに会議を開始する（デスクトップアプリ）… P.144

特徴・
基本操作

メッセージ
とチャット

オンライン
会議と通話

ファイルの
共有

モバイル
アプリ

チームの
管理

機能の
拡張

活用
アイデア

104 会議の背景を変更する

個人

モバイルアプリからオンライン会議に参加する場合でも、カメラの背景を利用できます。あらかじめ用意されている背景のほか、スマートフォンに保存された好きな写真を背景に設定できます。

モバイルアプリ

会議

❶ 背景の選択画面を表示する

> デバイスの設定画面を
> 表示しておく

> [ビデオオン]を
> タップしておく

> **1** [背景の効果]を
> タップ

❷ 背景を追加する

> [背景を選択]画面
> が表示された

> **1** [+]を
> タップ

> スマートフォンに保存されている
> 写真の一覧が表示された

> **2** 背景として追加したい
> 写真をタップ

③ 背景を設定する

背景が追加された

| 1 | 背景をタップ | 2 | [完了]をタップ |

背景を選択 　完了

プレビュー中は、他のユーザーにはビデオは表示されません。

あらかじめ用意された
背景も利用できる

④ 設定した背景で会議に参加する

背景が設定された

会議専用チャネル 説明会

ビデオオン　　マイクオフ　　スピーカー

今すぐ参加

その他の参加オプション

| 1 | [今すぐ参加]をタップ |

設定した背景で会議に参加できる

関連 **054** 背景として画像を利用する(デスクトップアプリ)⋯⋯⋯ P.114

特徴・基本操作

メッセージとチャット

オンライン会議と通話

ファイルの共有

モバイルアプリ

チームの管理

機能の拡張

活用アイデア

105 会議をモバイル版 Teamsに転送する

個人

モバイルアプリ　会議

　会議中に私用などで自席から離れる必要がある場合、そのオンライン会議をモバイルアプリに転送できます。また、モバイルアプリをオンライン会議に追加することで、パソコンで会議に参加したままスマートフォンをカメラやマイク代わりに活用できます。

1 モバイル版Teamsから会議に参加する

デスクトップ版Teamsで会議に参加しておく

デスクトップ版Teamsで会議に
参加した後にモバイル版Teams
を起動する

1 [参加] をタップ

② 会議を転送する

[このデバイスでの参加方法を
選んでください] と表示された

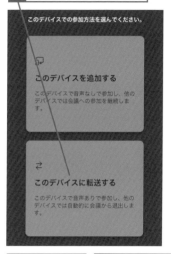

1 [このデバイスに転送する]
をタップ

> このデバイスでの参加方法を選んでください。
>
> 🖵
> **このデバイスを追加する**
> このデバイスで音声なしで参加し、他の
> デバイスでは会議への参加を継続しま
> す。
>
> ⇄
> **このデバイスに転送する**
> このデバイスで音声ありで参加し、他の
> デバイスでは自動的に会議から退出しま
> す。

会議の待機画
面が表示された

2 [今すぐ参加]
をタップ

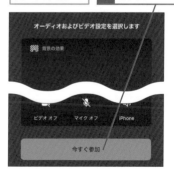

> オーディオおよびビデオ設定を選択します
> ◎ 背景の効果
>
> ビデオ オフ　マイク オフ　iPhone
>
> 今すぐ参加

③ 会議を転送できた

モバイル版Teamsから会議に参加した

ここをタップすると
会議から退出する

特徴・
基本操作

メッセージ
とチャット

オンライン
会議と通話

ファイルの
共有

モバイル
アプリ

チームの
管理

機能の
拡張

活用
アイデア

ポイント

● モバイル版Teamsに会議を転送すると、デスクトップ版Teamsの会議からは自動的に
退出します。

106 ほかのメンバーと通話する

組織

通話機能を利用して、普段スマートフォンで通話するのと同じ感覚でメンバーと会話ができます。相手からの着信は待受画面に表示されるため、Teamsアプリに切り替えることなく通話できます。

モバイルアプリ

通話

1 [通話] を表示する

1 [通話] をタップ

バージョンによっては [その他] タブに通話がある

[通話] が表示された

2 [通話開始] をタップ

2 通話を発信する

[通話を発信する] 画面が表示された

1 発信するユーザーを入力

2 ここをタップ

通話が発信された

3 通話にほかのメンバーを追加する

相手が通話に応答した

1 [会議オプション] をクリック

[会議オプション] が表示された

2 [ユーザー] をクリック

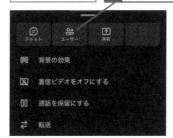

[通話参加者] が表示された

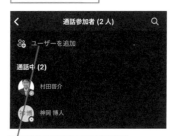

3 [ユーザーを追加] をクリック

[ユーザーを追加] が表示された

4 参加者を入力

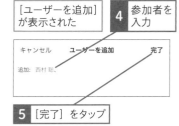

5 [完了] をタップ

通話に参加者が追加される

関連 076 連絡先から発信する（デスクトップアプリ）……………… P.148

特徴・基本操作

メッセージとチャット

オンライン会議と通話

ファイルの共有

モバイルアプリ

チームの管理

機能の拡張

活用アイデア

107 特定のメンバーと チャットをする

組織

モバイルアプリ

チャット／プレゼンス

モバイルアプリからの個別の連絡には、チャットも利用しましょう。チャットの内容はデスクトップアプリと同期されているため、いつでも前回の続きからやりとりできます。

❶ チャットの相手を選択する

1 ［チャット］をタップ

これまでのチャットの一覧が表示された

2 チャットしたい相手をタップ

ここをタップすると一覧に表示されていないメンバーへチャットを送信できる

❷ メッセージを送信する

1 ここをタップしてメッセージを入力　　**2** ［送信］をタップ

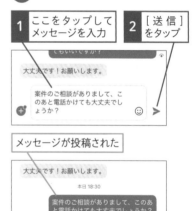

メッセージが投稿された

関連 024 特定のメンバーとチャットをする（デスクトップアプリ）…P.59

108 プレゼンスを変更する

個人

　私用があり外出しているときなど、ほかのメンバーからの連絡にすぐ対応できない場面では、モバイルアプリからプレゼンスを変更しておき、自分の状況を相手に知らせておきましょう。

1 プロファイルを表示する

1 ここをタップ

プロファイルが表示された

2 [連絡可能] をタップ

2 プレゼンスを変更する

プレゼンスが表示された

1 [一時退席中] をタップ　｜　プレゼンスが変更される

[状態のリセット] をタップするとプレゼンスを元に戻せる

関連 039 プレゼンスを手動で変更する（デスクトップアプリ）………P.86

109 チャットルームを固定する

個人

モバイルアプリ

固定／通知

　頻繁にやりとりする相手やグループとのチャットは、固定表示にすると見つけやすくなります。固定表示はデスクトップアプリとも同期しており、どちらのアプリでも固定や解除が行えます。

① 詳細メニューを表示する

[チャット] タブを表示しておく

> 1　固定表示したいチャットを左にスワイプ

2 [詳細]をタップ

② 固定表示を設定する

画面下部に詳細メニューが表示された

1 [固定]をタップ

チャットルームが固定表示された

ここを長押しして [詳細] → [➖] をタップすると、固定表示を解除できる

110 夜間や休日の通知を オフにする

個人

モバイルアプリの最大の欠点は、勤務時間外や休日であってもチャットなどの通知が届いてしまうことです。しっかりと休暇が取れるよう、通知をオフにしておくことも大切です。

1 プロファイルを表示する

1 ここをタップ

プロファイルが表示された

2 [通知] をタップ

2 通知をオフにする時間の設定画面を表示する

[通知] 画面が表示された

1 [通知オフ時間中] をタップ

×	通知	
次の場合に通知する:		
🔔 全般的なアクティビティ		>
▣ チャネル		>
🗓 会議		>
通知をブロック		
📵 通知オフ時間中	許可済み	>
🖥 デスクトップでアクティブになっている場合		>
📞 会議中の場合	許可済み	>

次のページに続く ▷

③ 通知をオフにする時間を設定する

[通知オフ時間] 画面が表示された

1 [通知オフ時間] をオンに設定

2 [開始] の時間をタップ

開始時間の設定メニューが表示された

3 通知をオフにする開始時間を設定

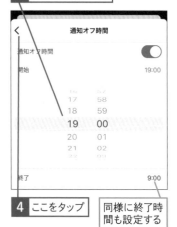

4 ここをタップ

同様に終了時間も設定する

④ 通知をオフにする曜日を設定する

前の画面に戻った

1 [通知オフ日] をオンに設定

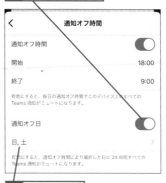

2 曜日をタップ

曜日の設定メニューが表示された

3 通知をオフにする曜日をタップ

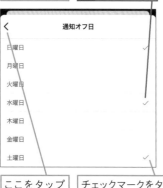

ここをタップすると前の画面に戻る

チェックマークをタップすると、通知をオフにする曜日を解除できる

第6章

チームの管理

コミュニケーションと情報の整理

Teamsでは、業務に沿ったメンバーと「チーム」を作成し、チャネルで区切ることでやりとりを整理できます。チームを管理・運営する操作を紹介します。

111 既存のチームを利用して新しいチームを作成する

組織

チームの管理

作成

　過去と類似するプロジェクトや業務に取りかかる場合、同じチャネル構成でチームを作成したほうが便利な場合があります。すでにあるチームの設定を再利用して、新規にチームを素早く作成できます。

1 チームの作成方法を選択する

[チーム] を
表示しておく

1 [チームに参加、またはチームを作成]
をクリック

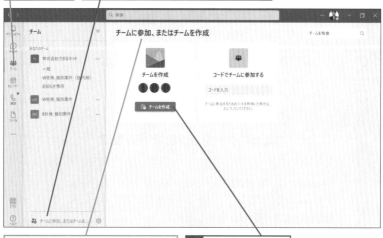

[チームに参加、またはチームを作成]
が表示された

2 [チームを作成]
をクリック

[チームを作成する]
が表示された

3 [グループまたは
チームから] を
クリック

② 元にするチームを選択する

[既に所属するチームから新しいチームを作成する] が表示された

1 [チーム] をクリック

既に所有するチームから新しいチームを作成する　　　　　×

🔷　チーム

2 元にするチームをクリック

どのチームを使用しますか？　　　　　×

アプリ、設定、およびチャネルを新しいチームにコピーします。既存のチームは変更されません。

株式会社できるネット
5 人のメンバー

③ チームを作成する

1 チーム名を入力　　| チームの説明を入力できる

"株式会社できるネット" を新しいチーム テンプレートとして使用しています　×

2 チームの種類を選択

チーム名

A社案件用（社内）　　　　　　　　　　　　⊘

説明

このチームに関する説明を記載してください

プライバシー

パブリック: 組織内の誰でも参加できます　　　　　　　∨

3 元のチームから コピーする内容 を選択

元のチームから含めたい対象を選択してください

メッセージ、ファイルおよびコンテンツはコピーされません。タブとコネクタを再設定する必要があります。

☑ チャネル　　　　　☑ アプリ

☑ タブ　　　　　　　☐ メンバー (5 人)

☑ チームの設定

< 戻る　　　　　　　　　　　　　　　**作成**

4 [作成] をクリック

[作成完了です!] と 表示される

次のページに続く

特徴・基本操作

メッセージとチャット

オンライン会議と通話

ファイルの共有

モバイルアプリ

チームの管理

機能の拡張

活用アイデア

④ メンバーを追加する

メンバーの追加画面が表示された

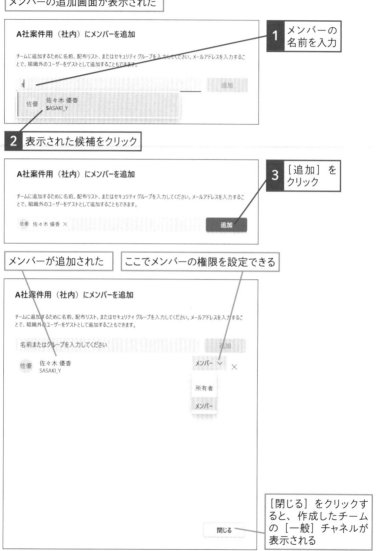

A社案件用（社内）にメンバーを追加

チームに追加するために名前、配布リスト、またはセキュリティ グループを入力してください。メールアドレスを入力することで、組織外のユーザーをゲストとして追加することもできます。

| 佐優 | 佐々木 優香
SASAKI_Y | 追加 |

1 メンバーの名前を入力

2 表示された候補をクリック

A社案件用（社内）にメンバーを追加

チームに追加するために名前、配布リスト、またはセキュリティ グループを入力してください。メールアドレスを入力することで、組織外のユーザーをゲストとして追加することもできます。

佐優 佐々木 優香 ✕　　　　　　　　　　　　　追加

3 ［追加］をクリック

メンバーが追加された　　ここでメンバーの権限を設定できる

A社案件用（社内）にメンバーを追加

チームに追加するために名前、配布リスト、またはセキュリティ グループを入力してください。メールアドレスを入力することで、組織外のユーザーをゲストとして追加することもできます。

名前またはグループを入力してください　　　　　　　追加

| 佐優 | 佐々木 優香
SASAKI_Y | メンバー ∨　✕ |

所有者

メンバー

［閉じる］をクリックすると、作成したチームの［一般］チャネルが表示される

閉じる

関連 008 新しいチームを作成する ……………………………………………P.28

チームの管理

作成／アーカイブ

112 チームをアーカイブする

組織

　使用しなくなったチームは、削除やアーカイブをしましょう。アーカイブすると閲覧専用となりますが、チームメンバーはチャットやファイルをいつでも見返すことができます。

1 ［チームを管理］をクリック　　　　　　　　**2** ［その他のオプション］をクリック

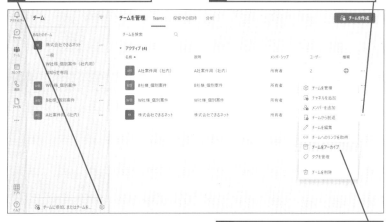

3 ［チームをアーカイブ］をクリック

"B社様_個別案件" をアーカイブしますか？

これによりチームのすべてのアクティビティが凍結されますが、引き続きメンバーを追加または削除して、ロールを更新することができます。［チームを管理］に進んで、チームを復元してください。詳細はこちら

☐ SharePoint サイトをチーム メンバーに対して読み取り専用にする

キャンセル　　アーカイブ

確認画面が表示された

4 ［アーカイブ］をクリック

チームがアーカイブされる

ポイント

● アーカイブしたチームは、復元して元に戻すことも可能です。復元するには、［チームを管理］の［アーカイブ］欄にある当該チームの［その他のオプション］→［チームを復元］をクリックします。

特徴・基本操作

メッセージとチャット

オンライン会議と通話

ファイルの共有

モバイルアプリ

チームの管理

機能の拡張

活用アイデア

113 チームの表示／非表示を切り替える

個人

　Teamsを長期間利用していると、参加中のチームが増えていきます。使われなくなったチームも一覧に表示されるため、普段利用しないチームは一覧から非表示にしましょう。非表示にしても、チームのメンバーであれば、チャットやファイルをこれまで通り利用できます。

1 チームを非表示にする

1	チームの［その他のオプション］をクリック

2	［非表示］をクリック

② チームを再表示する

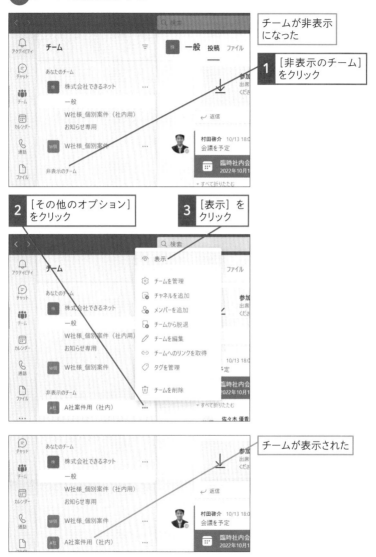

チームが非表示になった

1 [非表示のチーム]をクリック

2 [その他のオプション]をクリック

3 [表示]をクリック

チームが表示された

特徴・基本操作

メッセージとチャット

オンライン会議と通話

ファイルの共有

モバイルアプリ

チームの管理

機能の拡張

活用アイデア

ポイント

● [チーム]欄のチーム名をドラッグすると、表示する順序を並べ替えられます。

114 チャネルを作成する

組織

チーム内にチャネルを作成して、話題を整理しましょう。「お知らせ」「雑談」「会議」など、目的に応じてチャネルを作成できます。チャネルごとに[投稿]や[ファイル]タブが切り替わります。

1 チャネルの作成画面を表示する

1	チームの[その他のオプション]をクリック

2	[チャネルを追加]をクリック

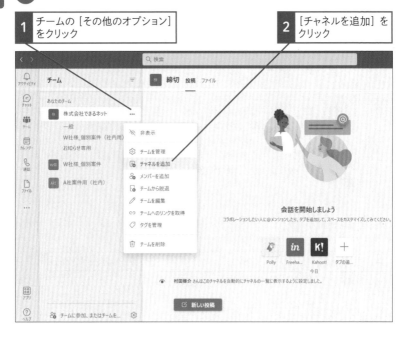

❷ チャネルの情報を入力する

```
1  チャネル名
   を入力
```

```
チャネルの説明を
入力できる
```

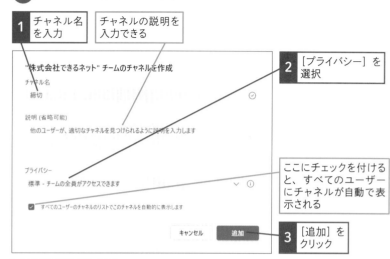

"株式会社できるネット" チームのチャネルを作成

チャネル名

締切 ⊘

説明 (省略可能)

他のユーザーが、適切なチャネルを見つけられるように説明を入力します

```
2  [プライバシー] を
   選択
```

プライバシー

標準 - チームの全員がアクセスできます ∨ ⓘ

☑ すべてのユーザーのチャネルのリストでこのチャネルを自動的に表示します

```
ここにチェックを付ける
と、すべてのユーザー
にチャネルが自動で表
示される
```

キャンセル　　**追加**

```
3  [追加] を
   クリック
```

チャネルが作成された

特徴・基本操作

メッセージとチャット

オンライン会議と通話

ファイルの共有

モバイルアプリ

チームの管理

機能の拡張

活用アイデア

115 チャネルを編集する

組織

チームの管理

チャネル

チャネルを作成した後にチャネルの用途や目的が変わった場合は、誰が見ても分かりやすいようにチャネル名を変更しましょう。チャネルの説明も加えることで、新しく参加したメンバーが把握しやすくなります。

チャネル名を変更する

1 チャネルの [その他のオプション] をクリック

2 [このチャネルを編集] をクリック

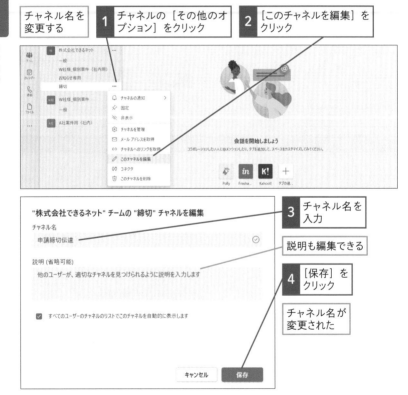

株式会社できるネット
　一般
　W社様_個別案件（社内用）
　お知らせ専用
　締切 …

W社様_個別案件
　一般

A社案件用（社内）

- チャネルの通知
- 固定
- 非表示
- チャネルを管理
- メール アドレスを取得
- チャネルへのリンクを取得
- このチャネルを編集
- コネクタ
- このチャネルを削除

会話を開始しましょう
コラボレーションしたい人に@メンションしたり、タブを追加して、スペースをカスタマイズしてみてください。

Polly　Fresha...　Kahoot!　タブの追...

"株式会社できるネット" チームの "締切" チャネルを編集

チャネル名

申請締切伝達　⊙

3 チャネル名を入力

説明 (省略可能)

他のユーザーが、適切なチャネルを見つけられるように説明を入力します

説明も編集できる

4 [保存] をクリック

チャネル名が変更された

☑ すべてのユーザーのチャネルのリストでこのチャネルを自動的に表示します

キャンセル　保存

ポイント

● チームの [その他のオプション]→[チームを編集]をクリックすると、チーム名と説明を編集できます。

116 チャネルの投稿者を限定する

組織

　参加人数が多いチームの場合、チャネルに誰でも投稿できる状態にしておくと、投稿数が多く重要な情報が流れてしまいがちです。チームの管理者や特定のユーザーからのお知らせをメンバーに伝えるためには、チャネルに投稿できるメンバーをあらかじめ設定しましょう。また、重要な情報を投稿するチャネルは、普段使うチャネルと分けて管理するのがおすすめです。

1 モデレートを設定する

作成したチャネルを表示しておく

1 [その他のオプション] をクリック

2 [チャネルを管理] をクリック

[チャネル設定] が表示された

3 [チャネルのモデレーション]で[オン]を選択

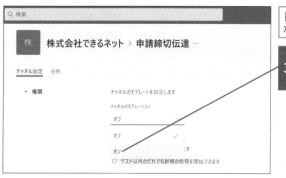

次のページに続く

特徴・基本操作

メッセージとチャット

オンライン会議と通話

ファイルの共有

モバイルアプリ

チームの管理

機能の拡張

活用アイデア

② モデレーターの追加画面を表示する

モデレーターのみ
投稿可能になった

チームの所有者のみが
投稿できる

1 [管理]
をクリック

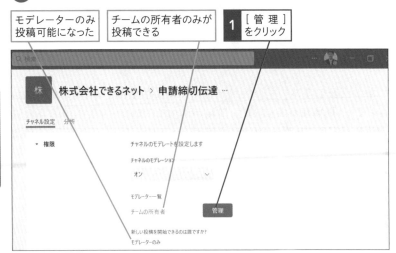

③ モデレーターを追加する

1 モデレーターに追加する人の名前を入力

2 候補をクリック

3 [完了] を
クリック

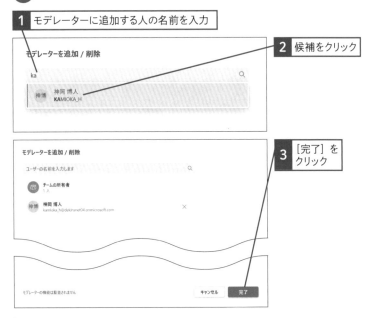

④ モデレーターを追加できた

モデレーターが
追加された

チームの所有者と、モデレーターに追加した
人のみがチャネルに投稿できる

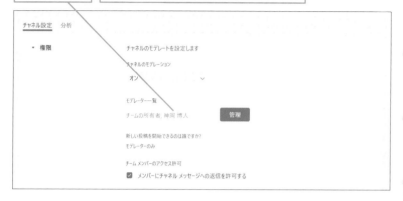

特徴・
基本操作

メッセージ
とチャット

オンライン
会議と通話

ファイルの
共有

モバイル
アプリ

チームの
管理

機能の
拡張

活用
アイデア

[一般] チャネルは特別なチャネル

チームに必ず作成される[一般]チャネルは、モデレーターを個別に指定できませんが、チームの所有者だけが投稿できるように設定できます。[一般]チャネルは、メンバー全員に表示される特別なチャネルです。メンバーが多いチームなどでは、投稿者を所有者に限定し、重要なお知らせのみを投稿する運用がよいでしょう。

1　[一般]チャネルの[その他のオプション]
→[チャネルを管理]をクリック

ここをクリックすると投稿者が所
有者に限定される

関連 121 メンバーを編集する …………………………………………… P.220

117 チャネルの表示／非表示を切り替える

個人

チーム、と同じくチャネルも、常に確認する必要のないものは非表示にできます。自分の使い方にあわせて、一覧表示を切り替えましょう。非表示にしたチャネルでも、内容の確認が可能です。

1 チャネルを非表示にする

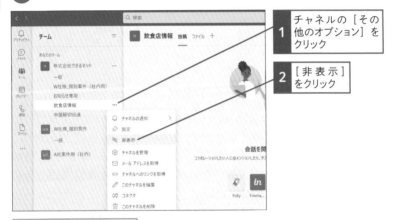

1 チャネルの [その他のオプション] をクリック

2 [非表示] をクリック

チャネルが非表示になった

3 [○つの非表示チャネル] をクリック

② 非表示にしたチャネルを表示する

非表示にしたチャネルの一覧が
表示された

1 表示したいチャネル
名をクリック

チャネルが表示された

特徴・
基本操作

メッセージ
とチャット

オンライン
会議と通話

ファイルの
共有

モバイル
アプリ

チームの
管理

機能の
拡張

活用
アイデア

ポイント

● チャネルを非表示にすると、チャネルのメンション通知は届きませんが、チームのメンションや個人宛てのメンションは通知を受け取れます。

関連 **011** 特定の人に宛ててメッセージを送信する ………………………P.36

014 @メンションを使ってチーム全員に投稿する ………………P.42

118 チャネルを削除する

組織

チーム管理

チャネル

　チャネルを作成したものの、利用されなかったチャネルは削除できます。削除されたチャネルの投稿は閲覧できなくなります。ただし、削除してから30日以内であれば復元が可能です。

| 1 | チャネルの[その他のオプション]をクリック | 2 | [このチャネルを削除]をクリック |

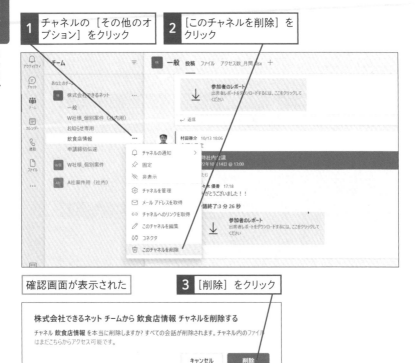

メニュー項目:
- チャネルの通知 ＞
- 固定
- 非表示
- チャネルを管理
- メールアドレスを取得
- チャネルへのリンクを取得
- このチャネルを編集
- コネクタ
- このチャネルを削除

確認画面が表示された

3 [削除]をクリック

株式会社できるネット チーム から 飲食店情報 チャネルを削除する

チャネル **飲食店情報** を本当に削除しますか? すべての会話が削除されます。チャネル内のファイルはまだこちらからアクセス可能です。

キャンセル　　削除

チャネルが削除される

119 チャネルを ピン留めする

個人

　頻繁に利用するチームのチャネルは、ピン留めすることで一覧の上部に固定できます。また、ピン留めされたチャネルを並べ替えることもできます。使いやすいように整理するとさらに便利です。

特徴・基本操作

メッセージとチャット

オンライン会議と通話

ファイルの共有

モバイルアプリ

チームの管理

機能の拡張

活用アイデア

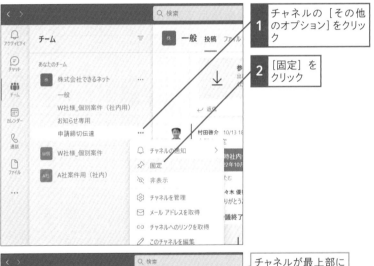

1 チャネルの [その他のオプション] をクリック

2 [固定] を クリック

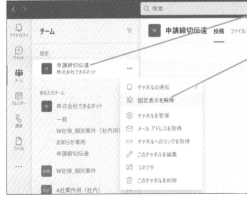

チャネルが最上部に表示された

[その他のオプション] → [固定表示を解除] をクリックすると元に戻せる

120 メンバーを追加する

組織

チームの利用目的に合わせて、チームの所有者はいつでもメンバーを追加できます。社内のユーザーはもちろん、社外のユーザーもメンバーに追加できます。

チームの管理 メンバー

1 メンバーの追加画面を表示する

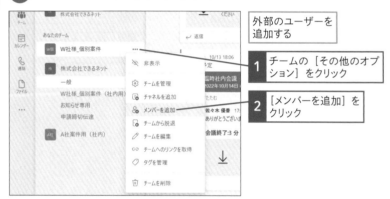

外部のユーザーを
追加する

1 チームの [その他のオプション] をクリック

2 [メンバーを追加] を
クリック

2 メールアドレスを入力する

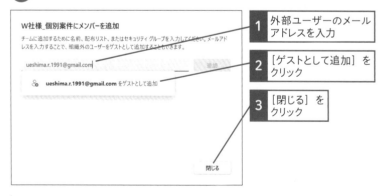

1 外部ユーザーのメール
アドレスを入力

2 [ゲストとして追加] を
クリック

3 [閉じる] を
クリック

3 メンバーを追加する

さらに社内のメンバーを
追加する

名前の一部を入力すると
候補が表示される

1 [追加] を
クリック

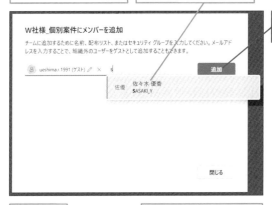

W社様_個別案件にメンバーを追加

チームに追加するために名前、配布リスト、またはセキュリティグループを入力してください。メールアドレスを入力することで、組織外のユーザーをゲストとして追加することもできます。

ueshima.r.1991 (ゲスト) ✕ s

追加

佐優 佐々木 優香
SASAKI_Y

閉じる

メンバーが
追加された

[閉じる] をクリックすると
元の画面に戻る

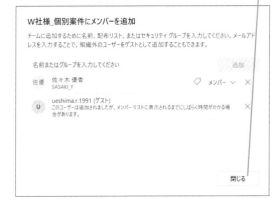

W社様_個別案件にメンバーを追加

チームに追加するために名前、配布リスト、またはセキュリティグループを入力してください。メールアドレスを入力することで、組織外のユーザーをゲストとして追加することもできます。

名前またはグループを入力してください

追加

佐優 佐々木 優香
SASAKI_Y   ♡ メンバー ∨ ✕

U　ueshima.r.1991 (ゲスト)
このユーザーは追加されましたが、メンバーリストに表示されるまでにしばらく時間がかかる場合があります。   ✕

閉じる

特徴・
基本操作

メッセージ
とチャット

オンライン
会議と通話

ファイルの
共有

モバイル
アプリ

チームの
管理

機能の
拡張

活用
アイデア

ポイント

● 外部ユーザーを追加するには、Microsoft 365の設定でTeamsへのゲストアクセスが許可されている必要があります。手順2の画面で [ゲストとして追加] が表示されない場合は許可されていないため、社内のIT部門などに確認してください。

● チームのメンバーは、所有者に対してメンバーの追加を要求できます。所有者が承諾することで、メンバーが追加されます。

121 メンバーを編集する

組織

チームに所属するメンバーは、[所有者][メンバー][ゲスト]の3つの役割があります。所有者はメンバーの管理やチームの設定を変更できます。所有者が不在になるとチームの管理ができなくなるので、常に2名以上を所有者にするなどして、人事異動や退職などに対応できるよう工夫しましょう。

チームの管理

メンバー

1 チームの設定画面を表示する

| 1 | チームの[その他のオプション]をクリック | 2 | [チームを管理]をクリック |

| メンバーを所有者に変更する | 3 | [メンバーおよびゲスト]をクリック |

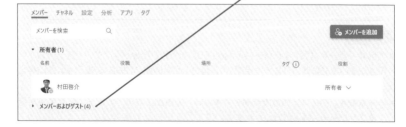

② 役割を変更する

1 役割を変更したいメンバーのここをクリック

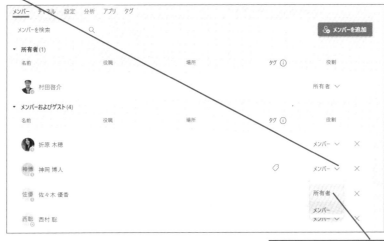

2 [所有者] をクリック

役割が変更された

ここをクリックするとメンバーを削除できる

特徴・基本操作

メッセージとチャット

オンライン会議と通話

ファイルの共有

モバイルアプリ

チームの管理

機能の拡張

活用アイデア

ポイント

● チームから削除されたメンバーは、その後チームへアクセスできなくなります。引き継ぎ事項を投稿したり、資料を保存したりする時間の余裕を設けるためにも、実際にメンバーを削除する際は、そのタイミングをあらかじめ伝えましょう。

122 メンバーの権限を編集する

組織

チームに所属するメンバーに与えた役割に応じて、行える操作を制限できます。例えば、所有者以外にチャネルの追加や削除を許可しないことで、所有者だけがチャネルを管理できます。

チームの管理

メンバー

1 チームの設定画面を表示する

| 1 | チームの[その他のオプション]をクリック |
| 2 | [チームを管理]をクリック |

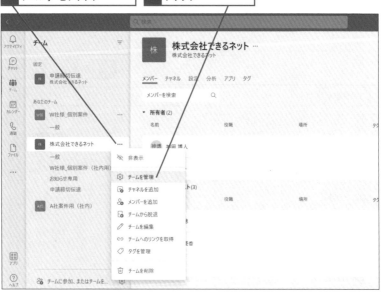

2 権限の一覧を表示する

1 [設定] をクリック

2 [メンバーアクセス許可] を
クリック

[ゲストのアクセス許可] をクリックすると
ゲストの権限を設定できる

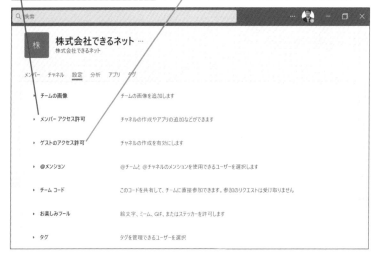

特徴・
基本操作

メッセージ
とチャット

オンライン
会議と通話

ファイルの
共有

モバイル
アプリ

チームの
管理

機能の
拡張

活用
アイデア

次のページに続く

③ 権限を編集する

メンバーがチャネルを削除 できないようにする	**1** [メンバーにチャネルの削除と復元を 許可する] のチェックを外す

メンバーの権限が 変更された	同様にほかの権限も 編集できる

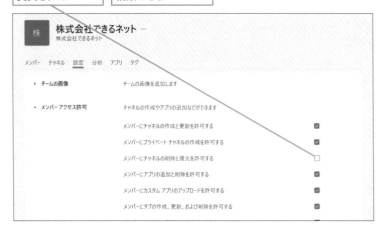

ポイント

● ゲストでもチャネルにメッセージを投稿したり、ファイルを共有したりすることは可能
ですが、標準ではチャネルの作成や削除は許可されていません。また、組織内のパブリッ
クチームを検索して参加することも不可能です。

123 タグを管理する

組織

　チームのメンバーをグループ化する「タグ」を作成すると、タグに含まれるメンバーを一度にメンションできます。プロジェクトでの役割やメンバーの役職、勤務地などのタグを作成しておくことで、メンバーがメンションをより便利に利用できます。

1 タグの管理画面を表示する

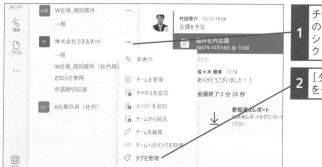

1 チームの［その他のオプション］をクリック

2 ［タグを管理］をクリック

2 タグを作成する

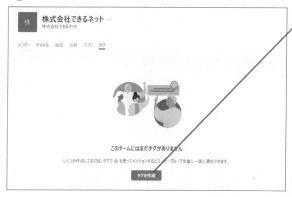

1 ［タグを作成］をクリック

このチームにはまだタグがありません

いくつか作成しておけば、タグで @ を使ってメンションするとユーザーグループ全員に一度に通知できます。

［タグを作成］

特徴・基本操作

メッセージとチャット

オンライン会議と通話

ファイルの共有

モバイルアプリ

チームの管理

機能の拡張

活用アイデア

次のページに続く

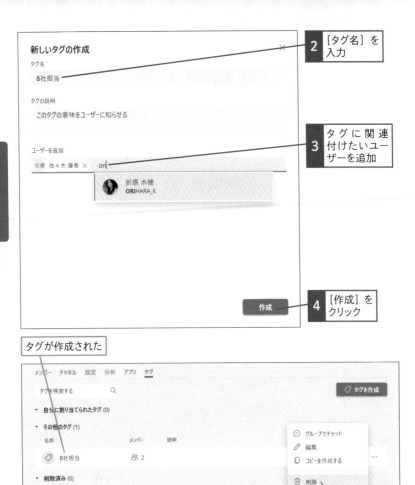

新しいタグの作成 ×

タグ名

B社担当

タグの説明

このタグの意味をユーザーに知らせる

2 [タグ名]を入力

ユーザーを追加

佐藤 佐々木 優香 × ori

折原 木穂
ORIHARA_K

3 タグに関連付けたいユーザーを追加

作成 **4** [作成]をクリック

タグが作成された

メンバー　チャネル　設定　分析　アプリ　タグ

タグを検索する　🔍

🔷 タグを作成

▼ 自分に割り当てられたタグ (0)

▼ その他のタグ (1)

名前　　　　　　　メンバー　　説明

🏷 B社担当　　　👥 2

⊡ グループでチャット
✏ 編集
📋 コピーを作成する
…
🗑 削除

▼ 削除済み (0)

タグの[その他のオプション]→[削除]をクリックすると削除できる

ポイント

● 作成されたタグは、メンバーが投稿時に「@」を入力するとメンションの候補として表示されます。

第7章

機能の拡張

サービス連携で広がるさまざまな用途

さまざまなサービスと連携することで、使える機能を増やせるのもTeamsの特徴です。よく利用される拡張機能を例に、機能の追加方法を紹介します。

124 Teamsの設定とオプション

個人

機能の拡張

設定

Teamsのアプリには、さまざまな設定があります。参加するチームが増えると通知数が多すぎるように感じることもあるため、ときどき設定を見直すとよいでしょう。

| ［アクティビティ］を表示しておく | **1** ［設定］をクリック |

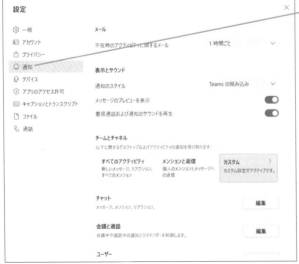

［設定］画面の［通知］が表示された

通知に関する設定を変更できる

設定 ×

- ⚙ 一般
- ▣ アカウント
- 🔒 プライバシー
- 🔔 通知
- 🎧 デバイス
- ⊙ アプリのアクセス許可
- 🔲 キャプションとトランスクリプト
- 📁 ファイル
- 📞 通話

メール

不在時のアクティビティに関するメール　　　1 時間ごと ∨

表示とサウンド

通知のスタイル　　　　　　　　　　　　Teams の組み込み ∨

メッセージのプレビューを表示　　　　　　🔵

着信通話および通知のサウンドを再生　　　🔵

チームとチャネル
以下に関するデスクトップおよびアクティビティの通知を受け取ります:

| すべてのアクティビティ
新しいメッセージ、リアクション、
すべてのメンション | メンションと返信
個人のメンションとメッセージへ
の返信 | **カスタム** >
カスタム設定がアクティブです。 |

チャット　　　　　　　　　　　　　　　　　　　　　編集
メッセージ、メンション、リアクション。

会議と通話　　　　　　　　　　　　　　　　　　　　編集
会議中や通話中の通知とリマインダーを制御します。

ユーザー

見やすいテーマを選択する

　Teamsでは3つのテーマが用意されています。ほかのアプリでも見かける機会が増えた[ダーク]テーマなど、自分の好みにあわせて選択しましょう。

1 [一般] をクリック　**2** [ダーク] をクリック

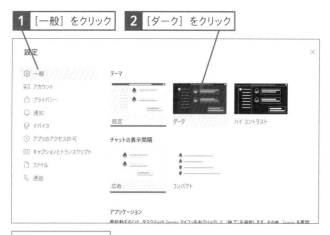

ダークモードになった

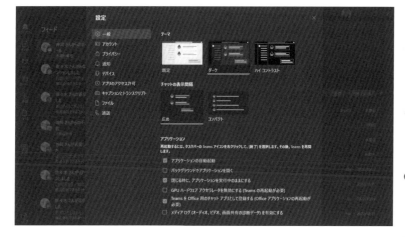

特徴・基本操作

メッセージとチャット

オンライン会議と通話

ファイルの共有

モバイルアプリ

チームの管理

機能の拡張

活用アイデア

〈ショートカットキー〉

`Ctrl` + `,` ……………………………………………… [設定] 画面を表示する

125 プロフィールに 顔写真を登録する

組織

機能の拡張

設定

リモートワークでの利用が多いTeamsは、プロフィール写真で自分の顔を見せることが大切です。また、チャットの画面やユーザーを検索した画面でも、顔写真があることで視認性が高まります。

1 写真の選択画面を表示する

1 [その他のオプション] をクリック

2 自分のアイコンをクリック

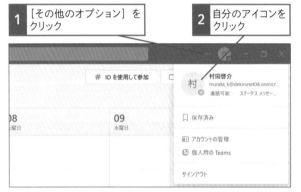

3 [画像をアップロード] をクリック

② 写真を選択して保存する

[開く] ダイアログボックスが表示された

1 自分のプロフィールに表示したい写真を選択

ファイル名(N): 251485　　Custom Files

2 [開く] をクリック

プロフィール画像を変更
すべての Microsoft 365 アプリで更新されます。

↑ 画像をアップロード

🗑 写真の削除

3 [保存] をクリック

プロフィールに写真が登録される

閉じる　　保存

特徴・基本操作

メッセージとチャット

オンライン会議と通話

ファイルの共有

モバイルアプリ

チームの管理

機能の拡張

活用アイデア

ポイント

● Teamsに登録した顔写真は、OutlookやSharePointなど、Microsoft 365のほかのアプリケーションでも表示されます。

126 Formsをタブとして追加する

組織

機能の拡張

タブ

　チャネルにはさまざまなタブを追加できます。Formsを追加すると、アンケートフォームなどをチームで作成して共有できます。集められた回答はリアルタイムにメンバーに共有されます。

1 タブの種類を選択する

タブを追加するチャネルを表示しておく	**1** [タブを追加]をクリック

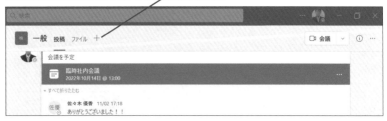

	[タブを追加]画面が表示された
	2 [Forms]をクリック

② タブを追加する

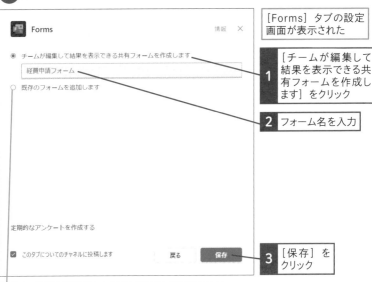

[Forms] タブの設定画面が表示された

1 [チームが編集して結果を表示できる共有フォームを作成します] をクリック

2 フォーム名を入力

3 [保存] をクリック

[既存のフォームを追加します] をクリックすると、既存のフォームをタブとして追加できる

Formsのタブが追加された

[新規追加] をクリックすると、フォームを追加してアンケートなどを作成できる

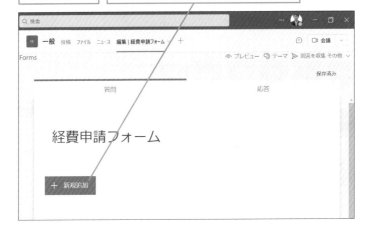

特徴・基本操作

メッセージとチャット

オンライン会議と通話

ファイルの共有

モバイルアプリ

チームの管理

機能の拡張

活用アイデア

127 Webサイトを タブとして追加する

組織

　URLを指定してWebサイトをタブに追加できます。チームでよく閲覧するサイトやイントラネットなど、役立つWebサイトを登録すれば、Teamsアプリで素早く表示できます。

機能の拡張

タブ

1 タブの種類を選択する

タブを追加するチャネルを 表示しておく	**1** [タブを追加] をクリック

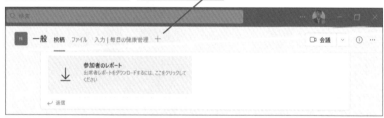

2 [Webサイト] をクリック

2 タブを追加する

[Webサイト] タブの設定
画面が表示された

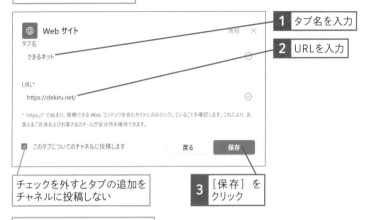

1 タブ名を入力

2 URLを入力

Web サイト 情報 ×

タブ名

できるネット

URL*

https://dekiru.net/

* 「https://」で始まり、信頼できる Web コンテンツを含むサイトにのみリンクしていることを確認します。これにより、お客さまご自身およびお客さまのチームが安全性を確保できます。

☑ このタブについてのチャネルに投稿します　　戻る　　保存

チェックを外すとタブの追加を
チャネルに投稿しない

3 [保存] を
クリック

Webサイトのタブが追加された

特徴・基本操作

メッセージとチャット

オンライン会議と通話

ファイルの共有

モバイルアプリ

チームの管理

拡張機能の

活用アイデア

128 Excelファイルを タブとして追加する

組織

機能の拡張

タブ

Excelファイルをタブに追加できます。メンバーはタブからいつも利用するファイルに素早くアクセスできます。Excelだけでなく、WordやPowerPointなどのOfficeファイルもタブに追加可能です。

1 タブの種類を選択する

| タブを追加するチャネルを表示しておく | Excelファイルをチームにアップロードしておく | **1** [タブを追加]をクリック |

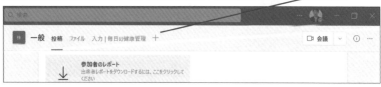

2 [Excel] をクリック

2 ファイルを選択する

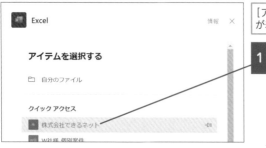

[アイテムを選択する] が表示された

1 チャネル名をクリック

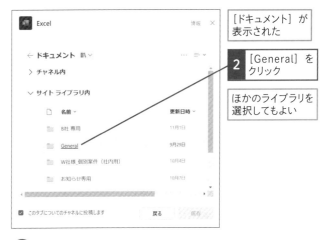

[ドキュメント] が表示された

2 [General] をクリック

ほかのライブラリを選択してもよい

3 タブを追加する

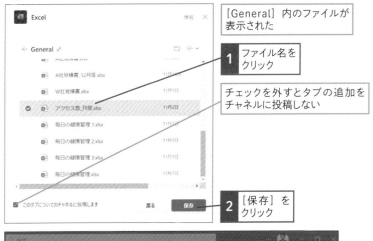

[General] 内のファイルが表示された

1 ファイル名をクリック

チェックを外すとタブの追加をチャネルに投稿しない

2 [保存] をクリック

Excelファイルのタブが追加された

特徴・基本操作

メッセージとチャット

オンライン会議と通話

ファイルの共有

モバイルアプリ

チームの管理

機能の拡張

活用アイデア

129 OneNoteのページを タブとして追加する

組織

議事録や調べた情報をまとめるなど、さまざま用途で活用できるのが OneNoteです。OneNoteをタブに追加して、メンバーがそれぞれ書き込める共有のノートブックを作成しましょう。

機能の拡張

タブ

1 タブの種類を選択する

| タブを追加するチャネルを表示しておく | 1 [タブを追加]をクリック |

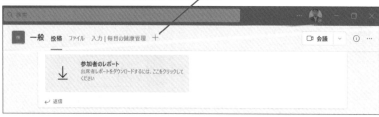

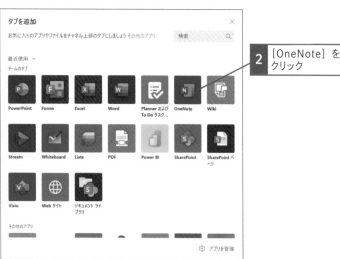

2 [OneNote] をクリック

2 タブを追加する

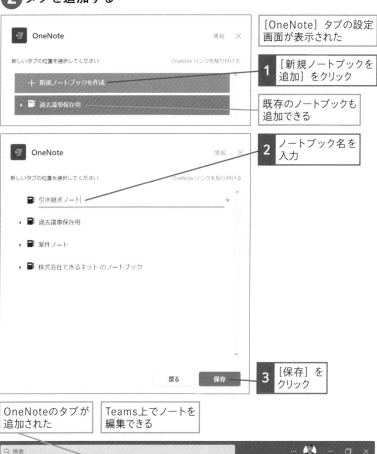

[OneNote] タブの設定画面が表示された

1 [新規ノートブックを追加] をクリック

既存のノートブックも追加できる

2 ノートブック名を入力

3 [保存] をクリック

OneNoteのタブが追加された

Teams上でノートを編集できる

特徴・基本操作

メッセージとチャット

オンライン会議と通話

ファイルの共有

モバイルアプリ

チームの管理

機能の拡張

活用アイデア

130 Plannerをタブとして追加する

組織

Plannerは、チームのメンバーと共有するタスク管理ツールです。これにより、チーム内での作業分担や進捗管理が行え、ひと目で状況を把握できます。操作も簡単で気軽に利用できます。

機能の拡張

タブ

1 タブの種類を選択する

タブを追加するチャネルを表示しておく	1 [タブを追加]をクリック

2 [PlannerおよびToDoタスクTasks]をクリック

❷ タブを追加する

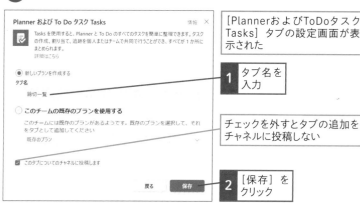

[PlannerおよびToDoタスク Tasks] タブの設定画面が表示された

1 タブ名を入力

チェックを外すとタブの追加をチャネルに投稿しない

2 [保存] をクリック

❸ タスクを追加する

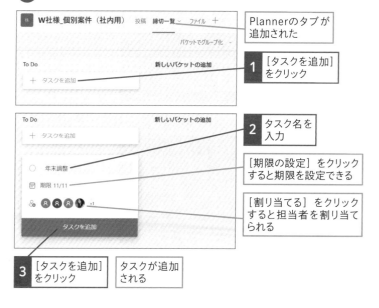

Plannerのタブが追加された

1 [タスクを追加] をクリック

2 タスク名を入力

[期限の設定] をクリックすると期限を設定できる

[割り当てる] をクリックすると担当者を割り当てられる

3 [タスクを追加] をクリック

タスクが追加される

特徴・基本操作

メッセージとチャット

オンライン会議と通話

ファイルの共有

モバイルアプリ

チームの管理

機能の拡張

活用アイデア

131 Pollsで会議中に投票機能を使う

組織

機能の拡張

アプリ

オンライン会議にもアプリを追加できます。例えば「Polls」を利用すると、会議中にアンケートを行えます。回答はリアルタイムで集計され、グラフなどで表示されます。

1 アプリを追加する

会議に参加しておく

1 [アプリ] をクリック

2 [Polls] をクリック

[アプリを検索] から検索することもできる

Pollsの説明が表示された

3 [追加] をクリック

4 次の説明が表示されたら [保存] をクリック

② 投票を作成する

[投票] タブが
追加された

1 [新しい投票] を
クリック

投票

＋ 新しい投票

特徴・基本操作

メッセージとチャット

オンライン会議と通話

ファイルの共有

モバイルアプリ

チームの管理

機能の拡張

活用アイデア

Pollsの設定画面が表示された

ここでは複数の選択肢から
1つを選ぶ投票を作成する

2 [複数選択] を
クリック

Polls

×

エンゲージメントを高めるにはどうすればよいですか?

◉ **複数選択**
さまざまなオプションを含む簡単なスタ
ンドアロンの質問

テスト
理解度に合わせた質問と正しい回
答

ワード クラウド
動的ワード クラウドに表示されるテキ
スト応答を開く

評価
回答者のリアクションから分析情報
を得る

↑↓ **ランキング**
回答者にアイテムのランク付けを許可
する

次のページに続く

3 投票を開始する

投票の内容と選択肢を入力する

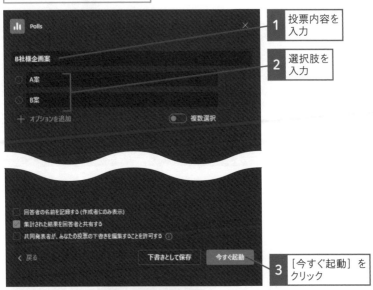

1 投票内容を入力

2 選択肢を入力

3 [今すぐ起動] をクリック

投票が開始された

投票結果はリアルタイムで更新される

ポイント

● チャネルと紐付いた会議はアプリの追加ができません。

関連 074 予約なしですぐに会議を開始する・・・・・・・・・・・・・・・・・・・・・・・・・・ P.144

機能の拡張

アプリ

132 Vivaエンゲージから Yammerを利用する

組織

Microsoft 365で利用できる社内SNS「Yammer」は、「Vivaエンゲージ」アプリを追加することで、Teamsから利用できます。毎回ブラウザーを開く必要がなくなり便利です。

1 アプリを追加する

1 [アプリ] をクリック	2 [Vivaエンゲージ] と入力して検索	3 検索結果の [Vivaエンゲージ] をクリック

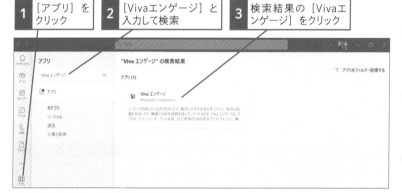

アプリの追加画面が表示された

4 [追加] をクリック

次のページに続く 〉

特徴・基本操作

メッセージとチャット

オンライン会議と通話

ファイルの共有

モバイルアプリ

チームの管理

機能の拡張

活用アイデア

❷ Yammerの投稿を確認する

[Vivaエンゲージへ
ようこそ]画面が表
示された

1 [始めましょう]
をクリック

Teamsのメニューにvivaエン
ゲージのアプリが追加された

Yammerの各種投稿は
ここから確認できる

ポイント

● Vivaエンゲージに投稿した内容はYammerにも反映されます。

133 アプリメニューを カスタマイズする

個人

　Teamsの左側に表示されているアプリメニューは、自分の用途に合わせて並び替えや固定表示、アプリの追加ができます。よく利用する機能を上に移動して、より使いやすくしましょう。

特徴・基本操作
メッセージとチャット
オンライン会議と通話
ファイルの共有
モバイルアプリ
チームの管理
機能の拡張
活用アイデア

1 移動したいアプリを ドラッグ

アプリが移動した

次のページに続く

メニューに表示するアプリを追加する

アプリを追加することで、Teamsで操作できる機能が増えます。Plannerを追加して自分に割り当てられたタスクを確認しやすくしたり、Officeアプリを追加してファイルを参照しやすくしたりなど、さまざまなアプリを追加して使いやすくしましょう。

1 [その他のオプション] をクリック

2 [Excel] を クリック

3 [固定] を クリック

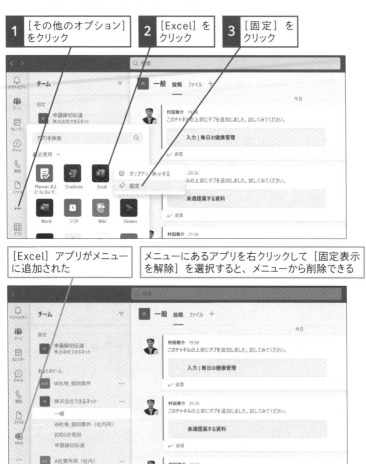

[Excel] アプリがメニューに追加された

メニューにあるアプリを右クリックして [固定表示を解除] を選択すると、メニューから削除できる

第8章

活用アイデア

コミュニケーションをより快適にするヒント

Teamsを便利に使うには、ちょっとしたコツや機能の使い分けについて知っておくことも大切です。本章では、すぐに役立つアイデアを紹介しています。

134 チャットで行う コミュニケーションのコツ

知識

チャットはオフィスに集まって行う会話でのコミュニケーションを、テキストに置き換えたものです。チャットを使いこなすことで、より円滑に、より透明性の高いコミュニケーションが可能になります。チャットをうまく利用するコツをいくつか紹介します。

非同期のコミュニケーションを意識

チャットは会話と同じようなコミュニケーションであると同時に、メールと同じように非同期なコミュニケーションでもあります。つまり、チャットもメールと同様に、お互いの都合の良いタイミングで返信しあう手段です。

特に意識が必要なのは、声掛けのタイミングです。オフィスでは「今ちょっといい？」と声を掛けることがありましたが、チャットの場合には不適切です。なぜなら、そのメッセージを相手が後から見たときに、何をすべきなのか判断がつきづらいからです。

チャットでの声掛けでは「○○の件で相談です」など、用件をあらかじめ伝えておくことで、時間が経った場合でも返信しやすくなります。また、会話のキャッチボールも減らすことができ、より早く用件を進められます。

> どのタイミングで読んでも内容を
> 理解できるメッセージを意識する

13:49
明後日の会議の件についてご相談です。
定例資料には記載する内容として、月間アクセス数はいつも通り入れ込んでいますが、
今回から週間アクセスも入力したらよいですか？

前回の定例会議で、そのようなことをお聞きした記憶がありまして、、
念のため確認させてください。

新しいメッセージの入力

絵文字などを使って感情を表現

　チャットの特徴は、文章中に感嘆符（!）や絵文字を気軽に利用でき、テキストでも感情表現がしやすい点にあります。形式的なメールでは表現が硬く感じられ、相手が怒っているのではないかと勘違いしたことがある人もいるかもしれません。

　チャットは短文で会話のように進めるため、「おお！ ありがとう！」「うんん、それいいね！」といったくだけた言い回しをしても、自然に伝わります。また、絵文字を交えて表現しても違和感がなく、より感情を伝えやすくなります。チャットのコミュニケーションでは相手の顔が見えないので、丁寧な言い回しだけでなく、感情を表現することも意識するのがスムーズに会話をするコツです。

特徴・
基本操作

メッセージ
とチャット

オンライン
会議と通話

ファイルの
共有

モバイル
アプリ

チームの
管理

機能の
拡張

活用
アイデア

> くだけた表現をすることで、スムーズに
> 話が進むこともある

チャットだけにこだわらず通話も活用

　チャットは便利ですが、ときには直接話したほうが早い場面もあります。そうした場合には、チャットから通話に切り替えてみましょう。Teamsでは、チャットの画面からワンクリックで通話を開始できます。画面を共有しながらの通話もできるため、テキストだけのコミュニケーションよりも伝えられる情報量が多く、スムーズに会話を進められるでしょう。

　チャットだけにこだわらず、「ちょっと通話できますか？」と声を掛けて通話に切り替えられる柔軟さを意識することも、チャットをうまく使うコツです。

135 チャットとチームの使い分け

知識

Teamsでは「チャット」と「チーム」を利用し、ほかのユーザーとコミュニケーションをとることができます。ただ、いずれもチャット形式でのコミュニケーションとなるため、どう使い分けるべきかで悩む人も多くいます。筆者としては、情報の共有をより便利にするには、チームの利用をおすすめしています。

情報がオープンになるチームを中心に使う

チームを利用するメリットは、やりとりされたチャットのメッセージや共有されたファイルなどが1カ所に集約されることです。後からチームに参加したメンバーにも自動的に共有されるため、再度アップロードする必要はありません。チーム内で情報がオープンになることで、メンバー全員が同じ情報にアクセスでき、スムーズに作業を進めることができます。

また、チームでやりとりをすることで、会話に参加していなかったメンバーが投稿を見かけて、アドバイスをくれるかもしれません。オフィスで働いているときに自席で会話をしていると、隣の人がちょっと会話に参加してくれて、助けになるアドバイスをくれた、という経験はないでしょうか。Teamsのチームを利用すると、チャットのコミュニケーションでも同じような体験を得ることができます。

チーム
オフィスのひとつの島に集まって
一緒に作業を進めているイメージ

チャット
島から離れて立ち話を
しているイメージ

秘密の会話は当事者間でのチャットを利用

　仕事上の会話では、当事者以外にはあまり関係のない確認事項のほか、機密情報や人事といった秘密にしておきたい情報もあります。こうしたときにはチャットがおすすめです。チャットはオフィスでの立ち話や密室でのやりとりのようなイメージで、ほかの人に聞かれないように行う会話として利用できます。

　しかし、チャットのデメリットは、その会話に参加している当事者間だけで情報が閉じられてしまうことにあります。チーム内の情報共有を進めたい場合は、できるだけチャットの利用は避けたほうがよいでしょう。

> 個人的な会話はチャットを
> 利用することを意識する

```
                                                    14:23
                    F社の提案ですが、佐々木さんに聞きたいことがあるのでこちらで話してもいいですか？

                            ―――――――― 最後の既読 ――――――――

佐優   佐々木 優香  14:23
       大丈夫です！お願いします。
```

どちらか迷ったらチームを作る

　新しくチャットを始めるか、チームを作成するか迷ったときは、まずチームの作成をおすすめしています。作成してみて不要だったチームは、後から削除することもできます。できるだけほかのメンバーと情報を共有しやすいように使うのが、Teamsを便利に活用していくコツです。

> チームを中心とした
> やりとりを意識する

特徴・基本操作

メッセージとチャット

オンライン会議と通話

ファイルの共有

モバイルアプリ

チームの管理

機能の拡張

活用アイデア

136 Microsoft 365 コミュニケーションツールの使い分け

知識

活用アイデア

チャット関連

　Teamsを導入すると、チャットを利用したコミュニケーションが増えます。また、Microsoft 365のほとんどのプランでは、メールや社内SNS、イントラサイトなど、Teams以外のコミュニケーションツールも提供されています。それらとTeamsを使い分け、より円滑なコミュニケーションを目指しましょう。

相手との関係性でメールとチャットを使い分ける

　Outlookを使ったメールでは、チャットほどくだけた言い回しを使うことは少なく、「いつもお世話になっております」といった決まった挨拶で本文が始まるなど、形式的なマナーがあります。これによって、どのような相手とも失礼なく気軽にコミュニケーションをとることができます。

　初めて連絡する相手や、特に社外の相手とのファーストコンタクトでは、メールが適している場面が多いでしょう。その後、お互いに相手の人となりが分かれば、チャットでのコミュニケーションに切り替えたほうが、早く会話を進められるようになります。

社内SNSでチームの垣根を越えて気軽に共有

　Teamsを利用したコミュニケーションは、普段の業務で一緒に働いているメンバー間が中心になります。部署や業務の垣根を越えて、もっと広く社内のほかの従業員とコミュニケーションをとるには、社内SNSのYammerが適しています。興味のあるニュースや役に立った情報など、さまざまなことを社内で気軽に共有できます。

広く情報を周知するにはメールかイントラサイト

　社内に広く情報を周知したい場合、ほかの多くの会話に埋もれがちなチャットよりもメールが適しています。メールは情報の受け手それぞれで未読と既読を管理できるため、重要な情報を見逃さないようにできます。

　また、SharePointを利用すると、社内向けのイントラサイトを作成でき、社内に知らせたい情報を投稿できます。情報を整理してまとめておけるため、社内へのお知らせが増えてきた場合には便利です。

重要な情報はSharePointに
投稿するとよい

使い分けのルールを話し合って決めよう

　Microsoft 365で使えるツールは、利用シーンによって向き不向きがあるものの、使い方に正解はありません。それぞれの組織や企業に適した用途を考える必要があります。また、自分だけがツールの使い方を意識していても意味がありません。いちばん大切なのは、周りのメンバーと話しあってルールをしっかりと共有し、明確にすることです。

特徴・基本操作
メッセージとチャット
オンライン会議と通話
ファイルの共有
モバイルアプリ
チームの管理
機能の拡張
活用アイデア

137 スムーズな会議運営の ための会議オプション

知識

活用アイデア

会議関連

オンライン会議に見知らぬ人が参加したり、発表者以外のマイクが有効になることで雑音が混ざったりするトラブルを防ぎ、会議運営をスムーズに行うためには、会議オプションの設定が効果的です。設定の変更は会議前、または会議中に行うことができます。会議オプションはカレンダーに登録しているTeams会議をクリックし、[編集]→[その他のオプション]→[会議のオプション]の順でアクセスします。

ロビーを迂回するユーザーを適切に設定

Teams会議では、参加しようとしているユーザーを、会議参加前に一時的にロビーに待機させることができます。この設定は会議オプションの[ロビーを迂回するユーザー？]から行い、適切に設定することで予期せぬ人が会議に参加するのを防げます。

例えば[自分が招待したユーザー]を選択すると、会議出席依頼を受け取った参加者だけがロビーを通らず、直接会議に参加できます。それ以外の参加者は、入室時の承認が必要です。

```
ロビーを迂回するユーザーを
設定できる
```

会議のオプション

ロビーを迂回するユーザー？	所属組織内のユーザーおよびゲスト ⌄
電話ユーザーによるロビーの迂回を常に許可する	全員
電話ユーザーが参加または退出したときに知らせる	所属組織内のユーザー、信頼できる組織内の ユーザー、およびゲスト
共同開催者を選択:	**所属組織内のユーザーおよびゲスト**
	所属組織内のユーザー
発表者となるユーザー	自分が招待したユーザー (会議出席依頼で [転 送を許可する] をオフにする)
出席者のマイクを許可しますか？	自分と共同開催者のみ

発表者以外のマイクを無効化して雑音を防ぐ

　会議オプションの[発表者を選択]では、会議での発表者を明示的に指定できます。これに加えて[出席者のマイクを許可しますか？]を無効化することで、発表者以外はマイクを利用できず、雑音が入ることを防げます。開催者は会議中でもマイクの無効化を指定できます。

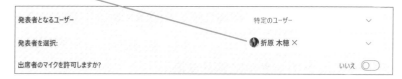

会議での発表者を事前に設定できる

共同開催者を指定して複数人で会議を運営

　会議オプションの[共同開催者を選択]では、会議の共同開催者を指定しておくことで、開催者だけができる操作の一部をほかの参加者にも任せることができます。共同開催者は会議オプションの設定も行えます。

共同開催者としてメンバーを設定できる

会議中のチャット利用を禁止する

　会議オプションの[会議のチャットを許可する]では、参加者同士のチャット利用を禁止できます。参加者が多い場合など、チャットの利用を禁止したいときには設定しましょう。

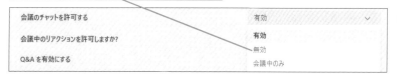

[無効]にすると主催者もチャットが禁止される

特徴・基本操作

メッセージとチャット

オンライン会議と通話

ファイルの共有

モバイルアプリ

チームの管理

機能の拡張

活用アイデア

138 グループ会議とチャネル会議の違い

知識

活用アイデア

会議関連

　Teamsで会議の予定を作成する際には、会議をチームのチャネルに紐付けることができます。これによってチャネルと紐付けない通常のグループ会議とは異なり、会議に関する情報をチャネルに集約でき、そのままチームのメンバーと情報を共有できます。

会議の情報をチャネルに集約する

　チャネルと紐付けられた会議によって集約される情報は、会議中のチャットや共有されたファイル、会議を録画した動画ファイルなどが含まれます。会議ごとにチャネル内にスレッドが作成され、これらの情報がまとめられていきます。

会議前後の資料の共有などを
スレッドに集約できる

チャネルに紐付けられた会議の注意点としては、チャットを利用できるのが、そのチームのメンバーだけに限られることが挙げられます。チーム外にも参加者がおり、チャットを利用したい場合には、一時的にチームのメンバーに加えるか、チャネルに紐付けない通常のグループ会議を利用する必要があります。

● チャネルとの紐付けによる会議の機能の違い

機能の違い	チャネルと紐付けるチャネル会議	チャネルと紐付けないグループ会議
チャットの保存先	チームのチャネル	チャット
共有ファイルの保存先	チームのファイル	OneDrive for Business
会議録画の保存先	チームのファイル	OneDrive for Business
チーム外メンバーのチャット	チーム外メンバーは利用不可	チーム外メンバーも利用できる

チームに会議用のチャネルを作成する

チーム内での会議の情報を把握しやすくするために、会議専用のチャネルを設けておくのもおすすめです。毎月・毎週の定例会議などでは、前回、前々回の資料のやりとりを見直したくなることがあります。そうしたときに定例会議のチャネルを見れば、すべての情報が集約されているため、把握するのが容易になります。

会議専用のチャネルを作成すると、
定例会議の情報を集約できる

特徴・基本操作

メッセージとチャット

オンライン会議と通話

ファイルの共有

モバイルアプリ

チームの管理

機能の拡張

活用アイデア

Q 索引

さ

た

は

ま

ら

■著者

太田浩史（おおた ひろふみ）
株式会社内田洋行

1983年生まれ、秋田県出身。2010年に自社のOffice 365（当時BPOS）導入を担当したことをきっかけに、多くの企業に対してOffice 365導入や活用の支援をはじめる。Office 365に関わるIT技術者として、社内の導入や活用の担当者として、そしてひとりのユーザーとして、さまざまな立場の経験から得られた等身大のナレッジを、各種イベントでの登壇、ブログ、ソーシャルメディア、その他IT系メディアサイトなどを通じて発信している。2013年にはMicrosoftにより個人に贈られる「Microsoft MVP Award」を受賞。日本最大のOffice 365ユーザーグループ「Japan Office 365 Users Group」の共同運営メンバーでもある。著書に『Microsoft Teams踏み込み活用術 達人が教える現場の実践ワザ（できるビジネス）』（インプレス）。

STAFF

カバーデザイン	伊藤忠インタラクティブ株式会社
本文フォーマット	伊藤忠インタラクティブ株式会社
DTP制作	柏倉真理子
校正	株式会社トップスタジオ
デザイン制作室	今津幸弘 <imazu@impress.co.jp>
	鈴木 薫 <suzu-kao@impress.co.jp>
制作担当デスク	柏倉真理子 <kasiwa-m@impress.co.jp>
編集	佐々木翼 <sasaki-tsu@impress.co.jp>
編集長	小渕隆和 <obuchi@impress.co.jp>

■商品に関する問い合わせ先

このたびは弊社商品をご購入いただきありがとうございます。本書の内容などに関するお問い
合わせは、下記のURLまたは二次元バーコードにある問い合わせフォームからお送りください。

https://book.impress.co.jp/info/

上記フォームがご利用いただけない場合のメールでの問い合わせ先
info@impress.co.jp

※お問い合わせの際は、書名、ISBN、お名前、お電話番号、メールアドレス に加えて、「該当するペー
ジ」と「具体的なご質問内容」「お使いの動作環境」を必ずご明記ください。なお、本書の範囲を超え
るご質問にはお答えできないのでご了承ください。

● 電話やFAXでのご質問には対応しておりません。また、封書でのお問い合わせは回答までに日数をいた
だく場合があります。あらかじめご了承ください。
● インプレスブックスの本書情報ページ　https://book.impress.co.jp/books/1122101096　では、本書の
サポート情報や正誤表・訂正情報などを掲載しています。あわせてご確認ください。
● 本書の奥付に記載されている初版発行日から3年が経過した場合、もしくは本書で紹介している製品や
サービスについて提供会社によるサポートが終了した場合はご質問にお答えできない場合があります。

■落丁・乱丁本などの問い合わせ先
FAX　03-6837-5023
service@impress.co.jp
※古書店で購入された商品はお取り替えできません。

でき るポケット　必修アプリ超活用
マイクロソフト　チーム　ズ　ぜん　じ てん
Microsoft Teams全事典
かいていばん
改訂版

2022年12月21日　初版発行

著　者　太田浩史 & できるシリーズ編集部

発行人　小川 亨

編集人　高橋隆志

発行所　株式会社インプレス
　　　　〒101-0051　東京都千代田区神田神保町一丁目105番地
　　　　ホームページ　https://book.impress.co.jp/

印刷所　図書印刷株式会社
ISBN978-4-295-01570-3　C3055

Printed in Japan